Ma vie
a changé

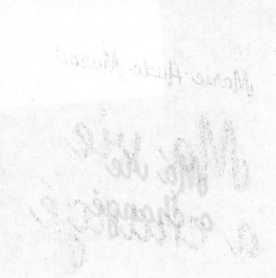

Marie-Aude Murail

Ma vie a changé

© 2... l'école des loisirs, Paris, pour ... édition en langue...
© 199..., l'école des loisirs, Paris, pour la première édition
Loi n° 49-956 du 16 juillet 1949 sur les publications
... à la jeunesse : septembre 199...
Dépôt légal : septembre 2014

l'école des loisirs
11, rue de Sèvres, Paris 6e

ISBN 978-2-211-23491-7

1

Je tiens d'abord à faire remarquer qu'on m'a toujours considérée comme une personne normale. Je n'ai jamais cru ni aux morts-vivants ni aux maisons hantées. D'ailleurs, je ne crois en rien. Ni en mon médecin, qui confond l'acné avec la rougeole, ni en mon député, qui confond mon portefeuille avec le sien, ni en mon mari, qui me confondait avec sa secrétaire. Je suis sur terre ce qu'on peut faire de plus incrédule. Mon fils Constantin, élève en 5e 4, est, comme il se doit, l'exact contraire de moi. Que les Martiens existent ne fait pour lui aucun doute. Moi, après six heures de boulot dans mon CDI, quand je me retrouve piégée dans un bouchon, boulevard du Président-Wilson, il vaut mieux ne pas me demander si je crois au Père Noël.

Ce jour-là, c'était un 24 janvier (entre autres qualités inutiles, j'ai une excellente mémoire des dates), j'avais discuté avec le professeur principal des cinquièmes 4, monsieur Logé-Dangerre.

— Vous avez vu ce que lisent nos chers élèves, en ce moment? me demanda-t-il en posant une pile de *Fourberies de Scapin* sur mon bureau, au CDI.

— Molière, constatai-je.

— Non. Ça, c'est ce qu'on étudie en classe. Aucun élève ne l'a lu et aucun n'a l'intention de le lire.

Monsieur Logé-Dangerre est un professeur de français assez désabusé. Il sortit de sa sacoche un petit bouquin noir et corné.

— *La Malédiction du vampire*, marmonnai-je, en regardant la couverture éclaboussée d'hémoglobine bien fraîche.

— Je l'ai confisqué tout à l'heure au petit Joderan. Vous voyez qui je veux dire? Un joufflu à qui on a envie de filer des claques.

Je hochai la tête. Marc Joderan est un pauvre gosse (mal) élevé par sa tante.

Je feuilletai le livre. Chapitre 1: «Le cercueil vide». Chapitre 2: «La mort est au rendez-vous»...

— Ils ne lisent plus que ça, commenta monsieur Logé-Dangerre. Il faut voir les titres! *L'Homme au hachoir* ou *Mamie Dracula*!

— Au moins, ils lisent quelque chose, remarquai-je.

– Si votre fils ne mangeait plus que des hamburgers, est-ce que vous diriez tout aussi tranquillement : «Ah, bah, au moins, il mange quelque chose»? Vous savez ce que m'a demandé le grand Cardon? Si *Les Fourberies de Scapin* «foutaient les boules»?

Atterré, monsieur Logé-Dangerre répéta à mi-voix :

– «Foutaient les boules», Molière !

Après avoir poussé ma porte, ce soir du 24 janvier, je restai un moment dans l'entrée à renifler. D'ordinaire, mon appartement sent la nouille froide et le vieux chien. Or il flottait, ce soir-là, une extraordinaire odeur de muguet à deux sous. C'est un atomiseur d'ambiance ou une andouillerie de ce genre, pensai-je.

– Constantin ! Qu'est-ce que tu as encore acheté…

Mon fils était à plat ventre sur la moquette du salon en train de… lire. Un saisissement de joie me fit oublier mon premier mouvement d'humeur.

– Tu lis ?!

– Ouais, trop mortel, me répondit Constantin, levant dans ma direction la couverture du bouquin.

L'Homme au hachoir. Je me rembrunis.

— C'est Joderan qui me l'a passé, ajouta mon fils. Il a toute la collec. Sauf un que Logé-Danl'cul lui a confisqué.

— Constantin! Je t'interdis de… D'abord, c'est un très bon prof. Et c'est quoi, ce parfum?

— Qué parfum?

Il renifla et se mit à rire.

— Ah ouais, ça schlingue, dis!

Donc, il n'était pas coupable. C'était probablement une remontée par la ventilation d'un déodorant W.-C. Une copie double oubliée sur la moquette attira alors mon regard. *«J'apprends à me taire. Tu apprends à te taire. Il apprend…»*

— C'est quoi, cette punition?

— Qué puni…? Ah ouais, ricana Constantin. *«Je ferme ma gueule, tu fermes ta gueule, il ferme sa gueule…»* C'est le principal. Punition collective.

Le principal, monsieur Bertrand, venait d'arriver. Lunettes d'écaille, joues creuses, pas un rigolo. Les élèves n'ont même pas réussi à lui trouver un surnom.

— Et pourquoi vous a-t-il punis? insistai-je.

— C'est parce que Joderan avait dit à Cardon que c'était pas vrai que sa mère était partie, enfin un truc dans ce jus, et comme Cardon, il peut pas savoir, alors, c'est n'importe quoi ce qu'y raconte.

D'ailleurs, y dit que j'ai pas de père. Alors, moi, j'y ai dit «ta mère, la pute». Donc, ça a fait la baston et le principal s'est pointé.

Je regardais mon fils, les yeux exorbités, essayant de retenir le fil de ses propos entre mes mains serrées. Mais de quoi parle-t-il?

– Au fait, m'man, où qu't'as mis mon kimo d'judo? mâchonna-t-il.

– Mais parle français! Articule! Ça fait six mois que ta grand-mère ne comprend plus ce que tu lui dis. Ton kimono est en bas de ta commode.

– Nan.

– Si. Je l'ai rangé hier. Tu as des yeux pour voir et tu...

Tout en ronchonnant, je me dirigeai vers sa chambre et ouvris le tiroir du bas de sa commode. Pas de kimono. En revanche:

– Veux-tu me dire ce que fait la louche en argent avec tes slips? m'écriai-je.

Je n'obtins bien sûr aucune réponse et je restai un moment à me dévisager dans la louche qui me renvoyait mes traits déformés par la courbure. Je ne me souvenais plus de l'avoir astiquée à ce point.

– Ce doit être madame Vandrette, murmurai-je, par besoin de m'en convaincre.

Madame Vandrette fait le ménage, une fois par semaine. Ou plus exactement, le lundi, après avoir posé son cabas vert bouteille dans l'entrée, madame Vandrette chatouille mon mobilier avec un plumeau. Ça ne fait rire personne, et surtout pas madame Vandrette qui est sinistre.

– Je n'ai pas trouvé ton kimono, dis-je à mon fils. C'est simple. Tu perds tout.

– Et toi, ton agenda ? me rétorqua Constantin.

Je soupirai et, la louche à la main, j'allai chercher une consolation à la cuisine dans la compagnie de mon caniche. Beetlejuice a dix-huit ans, les dents jaunes, l'haleine forte et des plaques d'eczéma rose dans sa peluche noirâtre. Je l'adore.

– Beetle, Beetle, dis-je en lui grattant le cou. Quelle vie !

Chiennerie de vie. Je m'assis lourdement sur une chaise. Mon mari parti. Un enfant à charge. Les gosses du bahut qui ne lisent plus. Madame Vandrette et son cabas. Autant de coups de louche sur ma tête.

– Mais ça pue aussi dans la cuisine ! me révoltai-je.

J'allais devoir en parler aux voisins. Ceux du dessus sont épouvantables. Ils ont deux filles tout en jambes qui sautent à l'élastique. Celui du dessous est fou. Il porte une cape et un béret, façon abbé Pierre. Il a fait Verdun, et peut-être Waterloo.

Soudain, mes yeux s'élargirent. Ils venaient de se poser sur le couffin du chien. Le kimono s'y trouvait.

— N'importe quoi, marmonnai-je.

Je me relevai en grimaçant. Ma vieille lombalgie. Je me frottai les reins. J'ouvris un placard pour y ranger ma louche.

— Mais c'est pas possible! m'écriai-je. Constantin! Constantin!

Mon fils déboula dans la cuisine.

— Qué?

Je brandis mon agenda. Il était dans le rangement à couverts.

— C'est toi, hein? C'est fin, comme plaisanterie. Ça fait dix jours que je le cherche!

— T'hallucines complet, protesta mon fils. J'y ai pas touché à ton... M'man! Mon kimo! C'est le chien qui l'a pris.

— Mais naturellement, dis-je. Et il lui fallait mon agenda pour noter ses horaires de cours. Tout s'explique.

De deux choses l'une, pensai-je alors : ou madame Vandrette est devenue espiègle, ou je suis folle. La seconde solution me paraissait quand même plus probable.

— Tu trouves pas que c'est bizarre, la maison, en ce moment? me demanda Constantin au dîner.

— «Bizarre»?

— Ben ouais, les trucs qui se déplacent tout seuls. C'est comme dans les maisons hantées.

Je regardai pesamment mon fils. Allais-je devoir, moi, la documentaliste, interdire la lecture à Constantin?

— Si tu ne lisais pas toutes ces idioties, maugréai-je.

— C'est pas idiot. Des fois, t'as des maisons qu'ont pas le bon feeling parce que c'est des criminels qu'ont vécu dedans. C'est prouvé.

— Prouvé par qui?

— Ben, par des gens qui l'ont vu.

— Mais qui ont vu quoi?

— Ben, des maisons hantées.

Je levai les yeux au plafond au moment même où le lustre tressaillait.

— Je vais leur envoyer l'homme au hachoir aux gamines du dessus, ça ne va pas traîner, grognai-je en plongeant férocement ma louche dans la soupière.

Mais quelle vie, quelle vie!

Avant de me coucher, j'errai devant mes rayonnages de livres. Que choisir? Un Maupassant? Du Pagnol?

– Tu veux le mien? J'ai fini.

Constantin me tendait son horreur de roman. Je fis la moue. Mais, par conscience professionnelle, je le pris. Autant savoir ce que les élèves lisent.

«– *Caro, j'ai vu le nouveau voisin. Je suis sûr qu'il déteste les enfants.*

Mon frère invente sans cesse des histoires au sujet des voisins. Déjà, il prétendait le mois dernier que madame Harris, notre voisine de palier, était une ogresse!

– Arrête un peu, Steve, dis-je à mon frère. Tes plaisanteries ne me font plus rire.»

Je me mis à bâiller, prévoyant le scénario dès les premières lignes. Bien sûr, le voisin n'était autre que l'homme au hachoir, et Steve, sans s'en douter, avait raison de supposer qu'il détestait les enfants. Il les passait certainement à la moulinette pour en faire des hamburgers géants. Soudain, quelque chose m'arrêta dans ma lecture. Une gêne. J'avais la poitrine oppressée.

– Cette odeur!

Le parfum de muguet venait d'envahir ma chambre. Je le respirai longuement. Il était si fort qu'il tournait presque la tête. D'où pouvait-il venir? D'une bouche d'aération? Je me levai et, à tâtons, je gagnai la cuisine. J'allumai le néon et fis sursauter mon pauvre Beetlejuice en plein rêve. La cuisine ne sentait rien d'autre que le vieux chien pelucheux. Accroupie près de lui, j'allongeai le bras pour le caresser. Ma main resta en suspens. Au fond du couffin, mal dissimulée par l'arrière-train de Beetlejuice, il y avait ma louche.

En passant devant la chambre de Constantin, je faillis entrer et déclarer :

— Tes plaisanteries ne me font plus rire.

Mais cette phrase me rappela quelque chose. Ah oui, *L'Homme au hachoir*. J'avais un livre à lire.

— Je vais aérer, dis-je à mi-voix en entrant dans ma chambre.

Je reniflai. L'odeur avait disparu. Bon. Tout cela était absurde. Mais il devait y avoir une explication scien-ti-fi-que. C'était un mirage olfactif ou une pollinisation hivernale du muguet. Je me glissai dans mes draps froids en frissonnant.

— Où il est? murmurai-je, cherchant des yeux le petit livre noir.

Il avait dû tomber. Je regardai au sol, puis sous mon lit. De plus en plus agacée, je repoussai le drap, la couette, secouai l'oreiller. Un objet s'échappa de la taie. Non, pas *L'Homme au hachoir*. Mon agenda. Je m'assis sur mon lit, découragée. Je ne tournais plus rond. La dépression me guettait. Je faisais des gestes incohérents sans m'en rendre compte.

Une bouffée de muguet vint alors me souffleter. Il était inutile de nier le phénomène. Ce parfum entrait et sortait de la pièce, comme aurait pu le faire une personne vivante. Je le respirai jusqu'à l'épuisement. Jusqu'à ce qu'il disparût. Des larmes me montèrent aux yeux. Je savais d'où venait ce parfum. Du plus profond de moi, du plus loin de l'enfance.

J'avais acheté pour la fête des Mères une petite bouteille verte à la droguerie, de l'eau de toilette au muguet. Ma mère m'avait embrassée, en simulant le plaisir. Puis, croyant que je ne m'en apercevrais pas, elle avait vidé la petite bouteille dans le lavabo. Deux jours durant, la salle de bains avait empesté le parfum à deux sous. Mes deux sous. J'avais huit ans.

2

Madeleine. C'est une plaie de s'appeler Madeleine. J'ai tout essayé: Mado, Madou, Madie. De toute façon, c'est Madeleine. Et c'est pour la vie.

– Ah, Madeleine! m'accueillit ma petite stagiaire. Le principal veut te voir à 10 heures.

– D'accord. Tu remets les livres à leur place, s'il te plaît?

– Oui. Après P, c'est Q? Je me souviens plus.

Je regardai Sabrina, un peu rêveuse. Voilà donc pourquoi il lui fallait l'après-midi pour ranger trois livres.

– Documentaire, c'est pareil que Poésie? reprit-elle.

– Ça ne fait rien, Sabrina. Laisse tout ça. Va nous prendre deux cafés au distributeur.

Comment allais-je l'occuper pendant six mois? Je ne pouvais pas boire du café toutes les demi-heures. Et que me voulait monsieur Bertrand, le nouveau principal? La semaine précédente, il avait visité mon CDI en se raclant la gorge comme s'il avait avalé dix chats. Quand je lui avais parlé de la modernisation du système informatique, il avait seulement fait: «Pfeu!» comme s'il essayait de cracher un de ses chats.

– Ah, madame Bouquet!

(Parce qu'en plus je m'appelle Bouquet. Madeleine Bouquet.)

– Asseyez-vous, pfeu, crachota le principal.

La vérité m'apparut enfin: monsieur Bertrand était ravagé de tics.

– J'ai quelques observations à vous faire sur votre CDI. Qu'est-ce que c'est, John Green et, pfeu, Moka? Où avez-vous mis Hugo et Balzac?

– C'est-à-dire que les élèves, nos élèves, lisent peu, expliquai-je avec une certaine assurance. Les classiques les découragent. Ils les étudient déjà en classe. Alors, vous comprenez…

– Non.

Nos regards se heurtèrent puis je détournai les yeux. L'agressivité des gens me met tout de suite aux abois.

– On vient au CDI pour trouver une lecture plaisir, repris-je en tentant de garder une voix ferme. J'ai quelques classiques en série, *Les Fourberies de Scapin*, par exemple. Mais pour la lecture individuelle, je préfère la littérature jeunesse qui est plus…

– Moderne? me coupa le principal. Soyons dans le coup! Mais, madame Bouquet, nous avons un devoir vis-à-vis des jeunes, pfeu, générations. Nous sommes les Gardiens de la Culture. En ferons-nous des Barbares, de ces jeunes qui nous sont confiés?

– Non, sûrement pas, balbutiai-je, ne comprenant pas trop bien comment Internet et *Nos étoiles contraires* nous menaient tout droit à la Barbarie.

– Savez-vous, madame Bouquet, qu'avec ce genre de démagogie nous faisons de nos élèves des amateurs de ce genre de…

Il avait ouvert son tiroir et, d'un geste sec, posa un livre sur son bureau.

– … de saletés? Oui, j'ose le dire : de saletés.

C'était *L'Homme au hachoir*. Malgré moi, je le saisis et le feuilletai. Sur la première page, s'étalait le nom du propriétaire : Marc Joderan. La main tremblante, je le reposai. C'était l'exemplaire qui s'était volatilisé dans ma chambre, la veille au soir.

— Réfléchissez-y, madame Bouquet. Faut-il préférer cet *Homme au hachoir* au *Colonel Chabert,* de Balzac?

J'essayai de plaisanter:

— Le mieux, ce serait une synthèse. *Le Colonel au hachoir,* par exemple.

Mais le nouveau principal avait autant d'humour que madame Vandrette.

— Très, pfeu, amusant.

Je revins à mon CDI, totalement démoralisée.

— Ah, Madeleine! m'accueillit Sabrina avec un grand sourire. *Le Livre des records,* c'est plutôt Poésie ou plutôt Documentaire?

Je lui jetai un regard si naufragé qu'elle bredouilla:

— Je vais te chercher un café.

Mon gobelet fumant à la main, je m'isolai un instant, le nez à la fenêtre donnant sur la cour. Le 25 janvier était pour moi une date anniversaire. C'était le 25 janvier de l'année précédente que ma vie avait changé. Jusque-là, j'astiquais ma louche en argent avec enthousiasme, j'organisais des jeux-concours dans un CDI où les enfants lisaient, j'achetais au marché Saint-Pierre des carottes biologiques pour le pot-au-feu du dimanche. Je pensais que, en étant toujours parfaite, je serais toujours heureuse. Puis, le 25 janvier au matin, je reçus une lettre où une femme anonyme me faisait une description minutieuse de ma chambre à coucher et de José, mon mari. J'en conclus, sans trop fatiguer mon esprit déductif, que José me trompait.

J'avalai un long trait de mon café trop chaud et des larmes me piquèrent les yeux. Cette sensation douloureuse me rappela à la réalité du jour. La 5e 4 était dans mon CDI et Cardon venait d'attraper Joderan au collet en hurlant:

— Tu veux, j't'éclate?

Je me ruai vers eux, en renversant du café sur ma jupe. Tous les élèves s'étaient tus et regardaient le pugilat avec intérêt. Mon fils mâchonnait son crayon, l'air détaché.

— Vous arrêtez immédiatement! criai-je. Ou je vous… ou je vous…

Du temps de l'ancien principal, j'envoyais les élèves indisciplinés dans son bureau. Il n'en était plus question. Cardon était en train d'étrangler Joderan dont les grosses joues enflaient encore.

— Ta mère! Ta mère! répétait Joderan avec ce qui lui restait de souffle.

Je l'arrachai à son adversaire et le secouai par l'épaule. Cardon ricana.

— Assieds-toi, dis-je à Cardon. Remettez-vous au travail. Allez. Le spectacle est terminé.

Joderan s'assit en sanglotant et mon fils, mâchonnant toujours son crayon, baissa les yeux de honte. Honte pour sa mère. J'avais bousculé Joderan parce que j'avais peur de Cardon.

— C'était pas son jour à Joderan, me dit Constantin dans la voiture, tandis que nous rentrions à la maison. J'y ai rendu son book, ce mat'…

— *L'Homme au hachoir?* murmurai-je.

— Ouais, mais s'l'est fait piquer à la cantoche par Bertrand.

Je conduisis un instant en silence. Comment mon fils avait-il pu rendre à Joderan un livre qui avait disparu dans ma chambre? Il devenait de plus en plus évident que je souffrais de moments d'absence. J'avais mis le livre dans le cartable de mon fils sans en être consciente.

— Encore en panne! pestai-je en voyant l'ascenseur qui béait stupidement.

Nous habitons rue Rosa-Bonheur. Non, quand j'y pense! Il y a des gens qui s'appellent Rosa Bonheur. Mais dans ce cas, je devrais m'appeler Madeleine Calamité. En montant les étages, je croisai monsieur Tibère, notre vieux voisin à la cape noire et au béret basque. Il ne me salue jamais. Donc, je ne lui dis plus bonjour. Autant économiser mon amabilité : je n'ai pas de stock. Mais ce soir-là, nous échangeâmes un regard. Monsieur Tibère eut un mouvement de la tête et du buste dans ma direction et je crus qu'il allait me parler. Mais il ne se passa rien et je bredouillai un « b'soir » informe.

— Tiens, ça pue comme hier, remarqua mon fils en entrant.

— Mmm, grognai-je.

Sans ôter mon manteau, j'allai vérifier que la louche en argent se trouvait bien avec les autres couverts et le kimono de Constantin dans le bas de sa commode. Tout était en ordre. Il suffisait que je surveille chacun de mes gestes et que je ne laisse aucun trou dans mon espace-temps. Je sortis mon agenda de mon cartable et le posai sur mon bureau en murmurant :

— Il est là, près de…

Mon cœur s'accéléra. Sur mon bureau, entre la photo de Constantin et mon fichier, il y avait un gros dévideur de Scotch. Il était en métal noir, lourd dans la main, élégant à l'œil, fonctionnel, indispensable. Seul problème : je n'ai jamais eu de dévideur de Scotch en métal noir.

— Constantin ! Constantin !

— Qué ?

Je lui tendis le dévideur en métal.

— Ah ouais ! s'exclama mon fils. Pratique, pour scratcher le Scotch.

— C'est toi qui l'as acheté ? demandai-je sans beaucoup d'espoir.

Constantin écarquilla les yeux.

— Mais m'man, c'est toi…

— Tu m'as vue l'acheter ? questionnai-je, la voix défaillante.

— Non, mais…

Je reposai le dévideur de Scotch. Ce n'était pas possible. Je n'avais pas pu acheter cet objet sans m'en rendre compte. Ou alors, j'avais une double vie, j'existais aussi dans un monde parallèle.

— Je t'avais bien dit que c'est bizarre ! triompha Constantin. Y a même des objets qui nous appartiennent pas.

— Ne raconte pas de stupidités. C'est madame Vandrette qui a dû acheter ça.

Il n'y avait évidemment aucune raison pour que

madame Vandrette nous ait fait cadeau d'un dévideur de Scotch en métal noir. Mais mon esprit rationnel pose qu'à tout effet il y a une cause. Pas de fumée sans feu, pas de dévideur sans Vandrette.

Ce soir-là, tandis que je cherchais quelque repos dans les *Mémoires d'outre-tombe*, de Chateaubriand, mon fils vint s'asseoir au pied de mon lit. Il avait un journal à la main. *Vaudou, le magazine du paranormal.*

— Tu lis ça?!

— C'est Joderan qui me l'a prêté. Trop mortel. Tu sais quoi? Rue Abbé-de-l'Épée, à côté, il y a une maison hantée. C'est la maison de madame Lafargue, une médium, et je te dis pas, y a un moine fantomatique qu'apparaît des fois. Avec des bandelettes autour du visage. Plein de gens qui l'ont vu. Trop mortel. Y a même sa photo.

Il me tendait son magazine ouvert. On y voyait une forme grisâtre et loqueteuse avec ce commentaire: «Le moine fantomatique, au 13, rue Abbé-de-l'Épée, à Bordeaux. Ses dernières apparitions remontent à novembre dernier.»

— Ton père aussi, dis-je.

— Qué?

— Ses dernières apparitions remontent à novembre. C'est peut-être lui, le moine.

La sonnerie de la porte d'entrée figea mon sourire.

– C'est qui? chuchota mon fils.

Et si c'était José, mon mari? S'il avait rompu, s'il revenait? J'attrapai ma robe de chambre. Déjà, dans ma tête, des phrases se bousculaient: «Non, José, c'est trop tard. Mais pour le petit, on pourrait encore essayer…» Il y a un œilleton à ma porte.

– Alors, c'est qui? répéta Constantin, dans mon dos.

– Le voisin, dis-je, la voix asséchée par la colère.

Si, un jour, ce salaud de José se représente, je le tue.

– Monsieur Tibère?

Il était sur mon palier, si vieux qu'il sentait la mort.

– Madame…

C'était la première fois que j'entendais le son de sa voix. Une voix d'outre-tombe.

– Vous n'allez pas bien, monsieur Tibère?

– Madame… Il m'arrive un grand malheur.

D'effroi, je serrai les mains sur mon cœur.

– J'ai perdu…

J'étouffai un cri. Il allait m'annoncer quelque horrible nouvelle. La mort d'un fils dans un pays lointain.

– J'ai perdu mon elfe.

Je retins mon souffle quelques longues secondes.

– Madame, mon elfe s'est échappé.

– Oui. C'est… c'est ennuyeux, balbutiai-je.

Constantin m'avait rejointe et je posai fermement la main sur son épaule pour lui interdire de s'avancer.

– Vous savez ce qu'est un elfe, madame? m'interrogea monsieur Tibère, pris d'un doute à mon sujet.

– C'est un genre de fée Clochette, mais en garçon, répondit Constantin à ma place.

Un sourire transfigura le vieil homme. Il découvrait mon fils.

– Voilà, reprit-il en s'adressant uniquement à mon fils. C'est un lutin avec des ailes. Le mien fait vingt-deux centimètres. Il n'est pas méchant, mais il pourrait le devenir. Il n'a pas d'âme, tu comprends? Il faut être sévère avec lui et le surveiller de près. Il me rend des petits services dans la maison. À mon âge, c'est bien utile. Il y a quelques jours, j'ai dû mal refermer la boîte où je le range et il s'est échappé.

Il faisait froid sur ce palier. La minuterie venait de s'éteindre et je sentais sous ma main l'épaule frémissante de Constantin.

— Monsieur, je suis désolée de ce qui vous arrive, dis-je. Mais nous n'avons pas vu de lutin avec des ailes ces derniers temps.

— Vous ne pouvez pas le voir, madame, me répliqua monsieur Tibère. Les Élémentals ne se matérialisent pas pour tous les yeux humains. Mais mon elfe se trahit parfois. Il a une odeur particulière.

Un frisson secoua l'épaule de mon fils.

— M'man, chuchota-t-il.

— Voyez-vous, madame, j'ai pensé qu'il s'était réfugié chez vous. Les gnomes sont des Élémentals de la terre et ils descendraient plutôt à la cave. Mais les elfes sont des Élémentals de l'air, et leur tendance naturelle est de monter.

J'avais laissé entrer monsieur Tibère, toujours enveloppé dans sa cape noire. Il nous parlait doucement, et sa voix grave berçait mes vieilles douleurs. Même ma lombalgie me laissait en repos.

— Il a quelle odeur, votre elfe ? murmura Constantin.

— C'est tout le sous-bois qu'il transporte entre ses ailes, répondit monsieur Tibère. Les violettes... et les muguets. Surtout les muguets. Il est si charmant. Il y a des éclats de soleil dans sa voix quand il rit, de la rosée sur ses joues quand il pleure. Mais il ne faut pas s'y laisser prendre. Il n'a pas de sentiments humains. C'est une petite chose sans cœur.

Entre ses deux vieilles mains tremblantes, il mesura son elfe :

— Vingt-deux centimètres.

— Il est peut-être monté à l'étage du dessus, dis-je pour m'en débarrasser.

— Mais m'man, me souffla Constantin, l'odeur du muguet…

Sous la broussaille des sourcils, le regard de monsieur Tibère scintilla. Je lui montrai la porte.

— Je suis désolée. Mais il y a école demain. Nous devons nous coucher.

Le vieil homme n'insista pas.

— Bonne nuit, madame. Excusez le dérangement. Vous avez un gentil garçon.

Je refermai la porte et je m'y appuyai, pour faire barrage à l'invisible.

3

De ce jour, je ne connus plus de tranquillité. Ma louche en argent s'éclipsait le matin pour reparaître au coucher du soleil dans un tiroir à chaussettes. La présence du dévideur en métal restait un mystère. Madame Vandrette me jura, sur un ton offensé, qu'elle ne m'avait jamais fait de cadeau ! En revanche, chacun des passages de la femme de ménage dans mon appartement se concluait par une catastrophe. Je trouvais, le soir, des petits mots sur la table de la cuisine.

« Il y a un court-circuit dans votre cafetière. Je m'ai presque électrocuté. » « Votre machine à laver fuit. Je m'ai presque tué en glissant. »

Il arrivait des malheurs absolument incroyables aux objets les plus insignifiants. Par exemple :

« *Votre hippopotame en pierre du brésil a tombé dans la cuvette des W.-C. et je lui ai cassé l'oreille droite avec la louche.* »

— Avec la louche, madame Vandrette ?

— Ben oui, pour le repêcher dans la cuvette ! me répondit-elle, de son ton éternellement offensé.

Toutes ces tracasseries finirent par me conduire chez mon médecin qui me prescrivit des pilules pour lutter contre l'insomnie. Le soir même, en ouvrant le tiroir de ma table de chevet, je trouvai mon hippopotame en pierre du Brésil sans son oreille droite. Mais pas de pilules. Et quand, le lendemain, je voulus remplir l'imprimé de la Sécurité sociale, la feuille avait disparu de mon bureau.

Pour mettre un comble à mon exaspération, maman m'invita le dimanche suivant.

— Profites-en, me dit-elle. Ta sœur vient.

Mon fils poussa un gros soupir.

— Faut que je vienne aussi ?

— Profites-en, répondis-je. Il y aura tes cousines.

Ma sœur Véronique et ses deux filles sont notre cauchemar à Constantin et à moi. Je suis sûre que, dès que j'ai le dos tourné, ma sœur m'appelle « cette pauvre Madeleine ». Quand elle m'embrasse, elle me serre les bras et me regarde avec des yeux embués comme si j'avais appris la veille que j'étais cocue. Mon bonheur, c'est que ma sœur prend du poids. Cinq kilos par an.

Ce dimanche-là, Véronique m'accueillit avec un: «Alors, tu vas mieux?» qui sous-entendait que j'avais dû être bien bas pendant la semaine.

– Toi, tu as bonne mine, répliquai-je.

Allusion à son double menton. Pan.

– Ça te réussit, la vie de femme au foyer.

Ma sœur était au chômage depuis deux mois. Repan.

– Ah, tu ne sais pas? répliqua Véronique, la voix haut perchée. J'ai retrouvé du boulot dans la boîte de mon mari. Ça m'a donné du courage et...

Elle mit les mains sur ses hanches, dans l'espoir de les mouler:

– ... je vais faire une thalassothérapie minceur.

Plof, plof, deux coups dans l'eau. Ma sœur est insubmersible. Pendant ce temps, mon fils affrontait les deux filles, Annabel et Sybille.

– Alors, t'as pas redoublé ton CM2, finalement? demanda l'une.

– Quand est-ce que tu nous présentes ta fiancée? gloussa l'autre.

— Faites-moi pas trop rire, répondit Constantin. J'ai mal aux joues après.

Annabel poussa Sybille du coude en ricanant :

— Faites-moi pas. Heureusement que ta mère est documentaliste. Ça t'aide pour le français !

— Les filles, laissez donc ce pauvre Constantin tranquille. C'est déjà assez qu'il ait plus de père pour le défendre, intervint maman, histoire d'achever mon fils.

Sur la route du retour, dans les embouteillages de l'avenue du Président-Wilson, mon fils répéta sur un rythme de rap : « Elles sont cons. Je les déteste. Je les déteste. Elles sont cons. » Ce soir-là, l'idée me vint de mourir. Pour qu'il n'y ait pas encore un lundi après ce dimanche. J'avais retrouvé les pilules. Si je les avalais toutes, j'avais quelque chance de ne plus me réveiller. J'ouvris le tiroir de ma table de chevet et je vis le dévideur de Scotch en métal noir. Ma chambre embauma soudain le muguet – et un peu la violette. Alors, je m'allongeai sur mon lit et pleurai, comme je n'avais jamais pleuré, même après la lettre anonyme.

Le lundi matin, monsieur Logé-Dangerre poussa la porte de mon CDI.

— Madame Bouquet! Bonjour!

— J'ai un prénom horrible, dis-je. Mais vous pouvez m'appeler Madeleine.

— Je ne me serais pas permis. Mais c'est un très joli prénom: «Madeleine». Alors, moi, c'est Jean-François.

— Je sais, Jean-François.

Non, je n'ai pas rougi, mon cœur n'a pas battu plus vite, etc. Monsieur Logé-Dangerre a la quarantaine juvénile. Un visage rond, des yeux surpris, des cheveux bouclés qui devaient faire la fierté de sa maman quand il avait dix ans. Ce n'est pas mon type d'homme. Mais bon, c'est un homme. Alors je fais des efforts.

— Dites, je pensais à nos élèves, reprit monsieur Logé-Dangerre (Jean-François pour les intimes). Ils sont très attirés par le fantastique, l'horreur, tout ça. On pourrait peut-être s'appuyer là-dessus pour les faire lire.

— Vous comptez leur proposer *L'Homme au hachoir* en lecture suivie?

— Non! Mais on pourrait utiliser avec eux une littérature traditionnelle: les légendes avec le Diable ou les récits mythologiques. Le Cyclope, hein?

J'essayai d'étouffer un soupir.

– Je suis même persuadé, ajouta Jean-François, s'animant de plus en plus, que les contes les intéresseraient.

– Vous croyez?

J'imaginais assez mal le grand Cardon et le gros Joderan en train de lire *Le Petit Poucet*. Mais je peux me tromper.

– Le matériau du conte, c'est du fantastique, de l'horreur, reprit Jean-François. Les ogres, les sorcières, les elfes…

– Les elfes, répétai-je, abasourdie.

L'après-midi, comme ma stagiaire regardait le plafond, les bras croisés, je lui demandai d'aller me chercher *L'Encyclopédie des lutins*.

– Une encyclopédie, c'est à Sport ou à Poésie? me demanda-t-elle en décroisant mollement les bras.

Par moments, j'ai envie de lui répondre : «C'est à Coups de pied au cul.»

– Ça ne fait rien, Sabrina. Va nous prendre un café.

Je fus assez mécontente en feuilletant mon encyclopédie de découvrir qu'on y parlait de fées, de lutins, de gnomes, de domovoïs, mais pas d'elfes.

Le soir, au moment de me mettre au lit, j'eus

idée d'aller au salon, de prendre mon dictionnaire et de chercher le mot «Elfe». Mon bon vieux Larousse s'ouvrit presque de lui-même, car il y avait en manière de marque-page…

– Ma feuille de Sécu! Mais qu'est-ce qu'elle fiche là?

M'étant habituée aux questions sans réponse, je repoussai la feuille et m'apprêtai à rechercher la lettre E. Inutile: le marque-page était à la lettre E. Au milieu de la page, s'étalait la définition du mot: «*Elfe: n.m. (angl. elf). Dans la mythologie scandinave, génie aérien qui symbolise les forces de l'air.*»

La peur commençait à me gagner. Quelque chose ou quelqu'un se jouait de moi. Ni Constantin ni madame Vandrette ne pouvaient inventer un pareil supplice chinois. Est-ce que j'agissais à mon insu, glissant une feuille au mot «Elfe», puis oubliant mon geste? Quel était le pire? Qu'il y ait un inconnu dans ma maison? Ou que je sois à moi-même une inconnue? Le pire était de se dire que je glissais vers la folie.

Un après-midi où Constantin avait cours jusqu'à 17 heures, je sonnai chez monsieur Tibère. Il comprit tout de suite en me dévisageant.

– C'est mon elfe qui vous fait des misères? Il n'est pas méchant. Mais il est taquin.

«Taquin»!

– Je n'en peux plus, murmurai-je.

Le vieil homme se frotta lentement les mains, content de ma reddition, puis il planta ses yeux un peu fous dans les miens.

– Je vais chercher le matériel…

– Le matériel? répétai-je.

– Pour le capturer.

Je regrettais déjà d'être descendue. Mais monsieur Tibère reparut promptement avec un vieux sac des Galeries Lafayette. Tout en montant une marche après l'autre, il me donna mon premier cours sur le monde astral.

– Le monde astral est peuplé d'êtres invisibles. Nous qui habitons le monde physique, nous vivons à côté d'eux, mêlés à eux, sans les voir.

– Bien sûr, dis-je au hasard.

– La plupart des Invisibles ne s'intéressent pas à nous. Mais il y en a qui tentent le passage vers notre monde, pas toujours pour de bonnes raisons. Vous savez pourquoi nous mourons?

Monsieur Tibère s'était arrêté entre les deux étages, la main sur la rampe de l'escalier.

— Nous mourons parce que notre cœur cesse de battre, répondis-je, assez sûre de mon fait.

— Nous mourons tous asphyxiés, me reprit le vieil homme. Et vous savez pourquoi ?

Sa main secoua la rambarde comme s'il venait de crocheter la Mort et s'expliquait avec Elle.

— Parce qu'il y a des êtres abjects qui s'échappent du bas astral et qui viennent s'accroupir sur la poitrine des malades et des accidentés pour les étouffer. Nous mourons asphyxiés !

— Oui, monsieur Tibère. Mais là, nous mourons de froid. Montez vite chez moi.

Une fois dans mon salon, le vieil homme jeta un regard critique autour de lui.

— L'endroit n'est pas bon.

— Pas bon pour quoi ? demandai-je.

— Pour poser mon piège.

Sans me demander la moindre autorisation, il poussa la porte de la chambre de Constantin. Il la referma aussitôt, puis se dirigea vers ma chambre. Je faillis protester, mais mon attention fut détournée par un bruit de clef.

— Constantin ? Mais tu n'as pas cours ?

— Logé-Danl'cul avait mal aux cheveux. On nous a relâchés.

Au même moment, monsieur Tibère ressortit de ma chambre, l'air satisfait.

— On va pouvoir commencer.

Son regard où le feu couvait s'était rallumé en se posant de nouveau sur mon fils.

— Commencer quoi ? s'étonna Constantin.

— Monsieur Tibère vient récupérer son elfe, dis-je, tout à fait consciente de l'absurdité de mes propos.

Le vieil homme plongea la main dans son sac en plastique. Il en tira une paire de ciseaux et quatre aiguilles à tricoter.

— Avez-vous des pots de fleurs ? me demanda-t-il.

— Dans la cuisine ! s'exclama Constantin. Il vous en faut combien ?

— Deux.

Monsieur Tibère s'était trouvé l'assistant idéal pour fabriquer des philtres d'amour, piéger des lutins et décrocher les étoiles. Quand Constantin revint avec ma misère et mon cactus, le vieil homme planta dans le terreau de chaque pot deux aiguilles à tricoter, pointes vers le plafond.

— Mets-les là, dit-il à mon fils en indiquant le pied de mon lit.

Puis il posa la paire de ciseaux ouverte et menaçante près de mon bureau. Enfin, il sema un peu partout des petits clous.

— C'est pour attraper l'elfe? questionna Constantin.

Moi, je n'étais plus en état de m'interroger sur quoi que ce soit.

— Non, ronchonna monsieur Tibère. C'est pour repousser les attaques. Quand on appelle le monde astral, n'importe qui peut répondre. Et les plus mauvais sont toujours les premiers à vouloir passer.

— Ah, d'accord, fit Constantin, avec le naturel d'un lecteur de *Vaudou, le magazine du paranormal.*

— Avez-vous des douceurs? me demanda le vieil homme.

— Des douceurs?

Monsieur Tibère, que j'impatientais, explosa:

— Mais bon sang de soir! Des douceurs! Des raisins secs, des miettes de brioche, un peu de lait sucré. Ce qu'on donne aux elfes, quoi!

Constantin avait déjà filé à la cuisine. Je rêve, pensai-je. C'est une espèce de rêve idiot.

— J'ai trouvé des pastilles de menthe, du chocolat au lait, énuméra mon fils, du sirop de grenadine et un petit cochon en pâte d'amande. Il est un peu sec.

Au centre de ma chambre, monsieur Tibère prépara un festin de lutin dans deux soucoupes en porcelaine : une pastille de menthe émiettée, un tout petit bout de chocolat, une queue de cochon et trois gouttes de sirop diluées dans trois gouttes d'eau. C'était de plus en plus idiot et très attendrissant.

— Ce n'est pas indispensable, la nourriture, expliqua le voisin à mon fils. Mais ça aide. Ferme les doubles-rideaux.

Sur ma moquette claire et sans que j'aie la force de protester, il traça un grand cercle noir au fusain puis, à l'intérieur de ce premier cercle, un second cercle plus petit. De l'intarissable sac en plastique, il sortit une bougie et un rond en papier d'aluminium qui s'ajusta miraculeusement au petit cercle tracé au fusain. Monsieur Tibère alluma la bougie et, à l'exact centre du cercle miroitant, il fit couler un peu de cire, ce qui lui permit de fixer la bougie.

— Entrez dans le premier cercle, nous ordonna-t-il, et tenez chacun une soucoupe.

Lui-même s'accroupit près du petit cercle brillant et mit les mains en conque au-dessus de la flamme, si près que son vêtement risquait à tout moment de prendre feu.

— Je t'appelle, dit sa voix d'outre-tombe. Je t'appelle pour que tu me serves, que tu me défendes et que tu exécutes fidèlement tous mes ordres.

Tibère répéta dix fois la même formule. Je commençais à avoir des distractions : si madame Vandrette poussait la porte, que penserait-elle de moi ? Et ma sœur ? Elle me jetterait un regard encore plus larmoyant que d'habitude : « Cette pauvre Madeleine, elle ne va pas bien du tout. » Soudain, monsieur Tibère se redressa.

— Ça ne va pas, dit-il d'un ton sec.

— Quoi ? s'inquiéta mon fils.

— Il y a quelqu'un qui est en trop, grogna monsieur Tibère.

Il était net que je le gênais. Je retrouvai soudain ma lucidité.

— Bon. Vous avez essayé, monsieur Tibère. Vous n'avez pas réussi.

Frénétiquement, je ramassai les clous, déplantai les aiguilles à tricoter, refermai les ciseaux.

— Il faudra recommencer à la pleine lune, expliqua le vieil homme à Constantin.

Mon fils acquiesça.

— Ça marcherait peut-être mieux avec du sirop d'anis ? s'informa-t-il.

– Ça suffit, ça suffit! m'écriai-je, folle de rage contre moi.

Monsieur Tibère plongea la main dans son sac et en tira un dernier objet. C'était une boîte en bois blanc avec des petits fermoirs dorés. Il la tendit à mon fils.

– C'est sa boîte, chuchota-t-il. Il faut le mettre là-dedans, dès qu'il est à demi matérialisé.

Posément, le vieil homme rangea ses affaires puis, passant devant mon bureau, il prit le dévideur de Scotch en métal noir avec l'autorité du véritable propriétaire.

– Tiens, il l'a monté avec lui, remarqua-t-il entre haut et bas.

Il partit sans un bonsoir ni un merci.

Les jours suivants furent cauchemardesques. Je faillis même me tuer en me prenant les pieds dans l'anse du cabas vert bouteille de madame Vandrette, tapi dans l'entrée. Après m'être à demi explosé le crâne contre le mur d'en face, je revins en titubant vers le cabas et le bourrai de coups de pied. Il avait le ventre pléthorique d'un monstre qui digère et il recracha d'indistinctes vomissures verdâtres.

– C'est fou ce que ça fane vite, le cresson, remarqua madame Vandrette, en ramassant son cabas et en renfonçant la salade que j'avais piétinée.

– Bonne soirée, madame Vandrette, marmonnai-je, un peu honteuse.

– Ah, au fait! s'écria-t-elle, la voix presque triomphante. Je sais pas ce qu'il a, votre aspirateur, mais il aspire plus rien.

Si le désespoir a un prénom, ce soir-là, c'était Madeleine.

4

— Bonjour, Madeleine.

Depuis quelques jours, monsieur Logé-Dangerre se débattait avec le Cyclope, mais surtout avec les cinquièmes 4. Quand il avait commencé à conter les aventures d'Ulysse, le gros Joderan s'était exclamé :

— Ah ouais, c'est sur Gulli ! *Je suis Nono, le petit robot, l'ami d'Ulyyyyyyysse.*

Monsieur Logé-Dangerre s'assit cavalièrement sur mon bureau pour m'expliquer :

— Un dessin animé. *L'Odyssée* : un dessin animé. Mais comme dit notre ami Cardon, « Ça fout pas moitié les boules comme *Scream 3* ».

— Découragé ? demandai-je, avec un sourire moqueur.

— Du tout. Puisque ça me donne l'occasion de vous voir. L'occasion et le plaisir.

J'eus quelque difficulté à battre des cils pour avoir l'air effarouché.

– On pourrait peut-être déjeuner ensemble… ailleurs qu'à la cantine? insista Jean-François.

Mon Dieu, un tête-à-tête! pensai-je. Jean-François, grand fou!

– Mais pourquoi pas? minaudai-je.

Miséricorde, pensai-je encore. Il sort son agenda. Il emballe sec, le petit Jean-François.

– Mardi? Vous êtes libre? Il y a une pizzeria que je connais. Pas chère du tout.

– Eh bien, c'est ça. Mardi.

Non, ça ne va pas repartir pour un tour, me révoltai-je intérieurement. Le pot-au-feu écologique, j'ai donné. Je ne serai pas la documentaliste que les élèves surnomment Logé-Danl'cul. D'ailleurs, mon type d'homme à moi, c'est Indiana Jones.

– Alors, à mardi, chuchota Jean-François.

À la porte du CDI, il se retourna et m'envoya du bout des doigts un baiser aérien. Mon Dieu, Seigneur, pourquoi ai-je accepté? Parce que c'est un homme et que je suis une femme. C'est mince comme argument.

Je prendrai une pizza pescatore, me consolai-je, sur le chemin du retour. C'est ma préférée.

À la maison, Constantin était déjà arrivé. Ses baskets au milieu de l'entrée. Son blouson par terre, son cartable jeté sur le canapé. J'entendais parler dans sa chambre. Constantin était sans doute en train de regarder la télévision. Beetlejuice vint vers moi en se dandinant. Il émit quelques gémissements pour attirer mon regard. Je me baissai pour le caresser.

— Qu'est-ce que tu as, mon toutou? Tu es malade?

Je me fis alors la réflexion que Constantin ne pouvait pas regarder la télévision dans sa chambre puisque j'ai interdit qu'il y ait une télévision dans sa chambre. Doucement, je m'approchai de sa porte et j'écoutai.

— Je t'appelle, disait une voix. Je t'appelle pour que tu me serves et que tu fasses tout ce que je te commanderai… euh… fidèlement.

Mon fils jouait au charmeur de lutins. Sur le moment, cela me parut aussi anodin que de jouer aux Indiens. Mais mon regard croisa celui de Beetlejuice. Mon caniche avait peur. J'ouvris brusquement la porte. Constantin était au milieu d'un double cercle, les mains au-dessus d'une bougie, il récitait sa formule magique :

— Je t'appelle pour que… Non, maman!

Beetlejuice, à mes côtés, aboya furieusement.

– Non, non, se lamenta mon fils. J'allais réussir.

– Réussir à quoi ? hurlai-je. Éteins cette bougie. Tu vas me mettre le feu.

– Mais maman, il était là.

Constantin avait des larmes dans la voix. Il y croyait vraiment. Je le secouai par les épaules.

– Je t'in-ter-dis de recommencer, tu m'entends ? Je…

Le parfum. Le parfum de muguet. Je le respirai. Il était là, mêlé à l'odeur de la cire fondue. Et le chien aboyait toujours.

– Beetlejuice, tais-toi !

– Maman, il était là. Il flottait. Là, juste au-dessus de la flamme…

– Tais-toi ! hurlai-je. Taisez-vous ! Vous allez me rendre folle. Beetlejuice, à la cuisine ! Toi, sors de cette pièce.

J'attrapai mon fils par le bras et le poussai dans le salon. Beetlejuice cessa de japper et alla s'aplatir sous la table. Il y eut entre nous un silence solennel.

– Maintenant, parle, dis-je à mon fils.

– J'ai vu un genre de truc.

– Ce n'est pas étonnant que tu te paies des 6 sur 20 en expression écrite, marmonnai-je. Tu peux le décrire, ton «genre de truc» ?

– C'est pas facile, constata mon fils. Ça faisait comme de la buée, tu sais, quand on souffle l'hiver?

– De la buée. Quelle taille?

– Ben, pas grand. Genre: ça.

Il écarta les mains d'une trentaine de centimètres.

– Quelle couleur?

– Ben, pas de couleur. Genre: gris.

– La forme?

– Ben, pas de forme. Genre: buée. Ça s'est évaporé juste quand t'es rentrée.

Mon cœur s'était apaisé. Mon fils n'avait rien vu du tout. Il avait tellement voulu voir quelque chose qu'il avait eu une hallucination. Une petite hallucination. Genre: trois fois rien.

– Je vais mettre la table, dis-je.

Je sortis une pizza de mon congélateur, ce qui me remit en mémoire monsieur Logé-Dangerre. Un mari comme lui chasserait sûrement tous les elfes de la terre. Mais ce n'est peut-être pas la première chose qu'on demande à un homme.

– Pourquoi tu as fait ça? demandai-je à mon fils, attablé en face de moi.

Il haussa une épaule.

– Tu sais bien que ça n'existe pas, repris-je. Ce pauvre monsieur Tibère est cinglé. Il n'y a pas d'elfe, pas de fée, pas de sorcière, pas de moine fantomatique...

J'aurais pu continuer: pas d'amour, pas de bonheur, pas d'espoir. Il y a madame Vandrette et son horrible cabas. Voilà la vie.

– Et deux comprimés, deux, murmurai-je, une fois seule.

Au moment où j'allais les avaler, Constantin entra dans la cuisine. Je tressaillis. Mon fils était pâle comme une vision.

– Qu'est-ce qu'il y a?

– Maman... Dans ma chambre...

Il ne pouvait plus parler. Beetlejuice, du fond de son panier, se remit à gronder.

– Mais si tu y vas, me prévint Constantin, ça va disparaître.

– Je fais peur aux elfes, ironisai-je.

Les larmes me montèrent aux yeux à cette absurde supposition. Pourquoi serais-je un épouvantail à lutins? Ma sœur, passe encore. Mais moi? J'ouvris un placard, j'en sortis une soucoupe. J'y émiettai un peu de pain au lait et posai deux chips. Constantin m'observait en se mordillant les lèvres.

– Et on va l'appeler comment? demandai-je. Turlututu, chapeau pointu? Tulipanpo, roi des nabots?

Mon fils fit la moue et me suivit jusque dans sa chambre que seule la lune éclairait, la pleine lune. Et dansait une légère buée, à quelques centimètres de la moquette. À pas feutrés, je m'approchai, la soucoupe tendue en offrande. Tandis que je rallumais la bougie avec mon briquet, mon fils s'accroupit et murmura :

— Je t'appelle. Pour que... pour que tu me serves et que... et que tu m'obéisses et... qu'on soit copains.

Je secouai la tête. Incorrigible Constantin. Pourtant, la buée était là, frémissant sous la clarté lunaire.

— Je t'appelle, dis-je, pour que tu me serves et que tu m'aides.

La buée s'épaississait, comme une sauce en train de prendre. Cela ressemblait à du sucre filé, à de la barbe à papa décolorée, cela pétillait parfois en accrochant un rayon de lune. Je posai mon offrande au-dessous.

— N'aie pas peur, dis-je doucement. Viens. Viens.

Je suis en plein délire, pensai-je. C'est pour de faux, comme quand j'étais enfant. Il y avait un loup dans l'armoire et des petites fées au fond de la baignoire.

— Je t'appelle, reprit Constantin, pour que tu me défendes contre le grand Cardon, pour que tu aides ma maman... Je t'appelle...

Un frisson agita le vaporeux nuage. Une barre plus sombre apparut en son milieu. La solidification commençait. Je sentis mon corps se couvrir de sueur comme au sortir d'une fièvre. Je dus m'asseoir sur la moquette, prise d'une infinie faiblesse. Nous ne pouvions plus parler. Mais le processus se poursuivait sans nous. Je fronçai les sourcils : des grumeaux apparaissaient dans la pâte, des boules noirâtres et disgracieuses qui alternaient avec des filaments clairs, filants comme du blanc d'œuf. Soudain, la barre sombre s'incurva et s'échappa de la masse. Je poussai un cri. Un bras ! C'était la forme d'un bras. Au bout, pendait un chiffon, une loque grise, peut-être l'embryon d'une toute petite main.

– Maman, gémit Constantin. Le... La...

Un des grumeaux grossissait, tournant sur lui-même et tirant de cette gelée grise des rubans plus clairs. La tête !

– Quelle horreur, soufflai-je. Constantin, la boîte... La boîte de monsieur Tibère !

Mon fils s'arracha à l'écœurante fascination et courut prendre la boîte en bois blanc. Le nuage se compactait de plus en plus vite. Déjà, il me semblait distinguer le pointillé d'une colonne vertébrale. La tête était là, évoquant celle, en réduction jivaro, de l'homme invisible. Ni yeux ni bouche, seulement des bandages mouvants. Une petite main noire s'était solidifiée. Les doigts s'ouvraient et se fermaient comme les serres d'un oiseau.

— C'est épouvantable, murmurai-je, les yeux fixes et dilatés.

Dans un bruit de papier à bonbon, une aile se déplia — merveille de transparence, légèrement veinée de bleu. Constantin plongea son visage dans ses mains. Nous avions réussi ! Le monde invisible forçait nos portes.

Qui appeler au secours ? Monsieur Tibère ? Mais pouvais-je laisser mon fils seul ? Avec des gestes lents, comme si je glissais sous des eaux profondes, je mis la boîte en bois blanc sur mes genoux, j'ouvris les fermoirs dorés puis j'étendis la main. La vapeur s'était à présent entièrement ramassée. On devinait la parenthèse des épaules, deux jambes soudées comme celles d'un soldat de plomb, une aile encore collée à un semblant de dos. Et le tout pouvait tenir dans la boîte. Je me mis à compter. 10, 9, 8… À 0, je devais attraper la chose et l'enfermer dans la boîte. Surtout, ne pas lâcher quel que soit le contact, quelle que soit la sensation. 5, 4, 3… Où allais-je trouver la force pour m'emparer de cette monstruosité tour à tour gluante, croustillante et scintillante? 1, 0!

— Ah!

Glacé, brûlant, collant, fuyant. J'en avais plein les doigts. Vite, vite, dans la boîte. Je détachai les derniers grumeaux de mes mains et rabattis le couvercle. Clac, clac, les deux fermoirs dorés. Je courus à la cuisine et fis couler l'eau sur mes mains. Elles cloquaient de partout.

— Oh, c'est horrible, c'est horrible…

Je trépignais de douleur devant l'évier. Beetlejuice, qui était venu me renifler, hurlait à l'unisson.

— Maman?

Constantin était tout près de moi, le visage déformé par l'angoisse.

— Oh, j'ai mal, j'ai mal…

Des larmes roulaient sur mes joues. Mes mains étaient sans doute brûlées au troisième degré.

— On appelle un médecin?

— Et on lui dit quoi? hurlai-je. Que j'ai été brûlée par un lutin en formation?

— On va chercher monsieur Tibère?

— Oui. Non.

J'arrêtai l'eau du robinet. Je n'avais plus mal. Plus du tout. Je regardai Constantin.

– Les cloques sont parties. On a rêvé. J'ai rêvé.

– Mais le… le machin dans la boîte, protesta mon fils.

– Il n'y a rien dans la boîte.

J'agitai mes doigts intacts. Une illusion de douleur. Une hallucination de lutin. Rien. D'un pas ferme, je retournai dans la chambre de Constantin et allumai le plafonnier. Rien, pas même cette fichue odeur de muguet. J'avais laissé la boîte sur la moquette. Surmontant un reste de dégoût, je la ramassai.

– On ouvre? me proposa Constantin.

– Jamais. Et dès demain, on rend la boîte à monsieur Tibère.

– Mais tu dis qu'y a rien dedans, ironisa Constantin.

Sans répondre, j'emportai la boîte dans ma chambre, je la posai sur mon bureau et mis sur le couvercle le Grand Larousse et le Petit Robert. Tout le poids des mots.

«Hallucination: perception, par un sujet éveillé, de phénomènes extérieurs à lui et qui n'existent pas en réalité.»

Le lendemain, avant de partir pour le collège, je passai chez monsieur Tibère. Je sonnai, frappai, tambourinai, appelai.

– Il a le sommeil dur, constatai-je, assez contrariée de devoir promener la boîte en bois blanc (car j'étais trop en retard pour remonter chez moi).

Une fois au CDI, je me dépêchai de glisser la boîte dans un de mes tiroirs fermant à clef. Je sentis qu'elle s'était alourdie pendant le trajet, mais je ne voulus pas vraiment m'en assurer en la soupesant. Monsieur Logé-Dangerre passa la tête par la porte et me fit un clin d'œil.

– Ça tient toujours pour mardi?

– Bien sûr!

Jean-François est divorcé. Il a deux grands enfants et une maison de campagne du côté de Libourne. Il taille lui-même ses pommiers. Je sais tout. Qu'est-ce que je vais pouvoir lui raconter, mardi? Que j'élève des lutins dans des boîtes en bois blanc?

Je profitai du temps de la cantine pour rouvrir mon tiroir. J'avais envie de «la» regarder. Mais ça ne me suffit pas. Je voulus la toucher. La prendre. Elle avait doublé de poids. Je l'agitai doucement. Quelque chose d'un peu mou cogna contre les parois. Bon. Il y avait des explications possibles. Peut-être Constantin avait-il mis un objet à l'intérieur? Un objet assez lourd, presque de la taille de la boîte. C'était assez facile à vérifier. Il suffisait de repousser les fermoirs dorés. Ce que je fis. De soulever le couvercle. Ce que je...

— Mon Dieu !

Je rabattis le couvercle, remis les fermoirs, clac, clac, rangeai la boîte dans le tiroir, fermai le tiroir à clef. Je tremblais de la tête aux pieds. Ma petite stagiaire entra alors dans mon bureau, l'air catastrophé.

— Madeleine, je me suis coupée avec le cutter.

Je lui avais demandé de couvrir une bande dessinée et elle restait là, devant moi, l'index levé, faisant goutter le sang sur la moquette.

— Ça ne fait rien, Sabrina, dis-je, encore choquée. Va me chercher deux cafés.

Je dus repartir chez moi de bonne heure. Mais avant, il me fallut beaucoup d'énergie pour rouvrir mon tiroir et reprendre la boîte. N'ayant pas confiance dans les minces fermoirs, je mis deux gros élastiques en croix autour de la boîte et j'enveloppai le tout dans deux sacs en plastique.

— Direction monsieur Tibère, marmonnai-je.

Même s'il fallait pour cela défoncer sa porte, je lui rendrais la boîte.

Quand j'arrivai rue Rosa-Bonheur, je remarquai tout de suite l'ambulance du Samu garée au coin et j'accélérai le pas. La locataire du rez-de-chaussée était à sa fenêtre, épiant les mouvements de la rue. Elle me fit un signe de la main : elle voulait me parler. Je l'attendis sur son palier. Tout de suite, elle explosa :

– Ce pauvre monsieur Tibère, vous l'auriez vu ! C'est moi qu'ai prévenu le Samu, mais c'était trop tard. C'est le cœur qui a lâché…

Je secouai lentement la tête. Non, on ne meurt pas d'un arrêt du cœur. La boîte est orpheline, pensai-je en montant les escaliers. Je la sortis de mon cartable, toujours enveloppée de ses sacs. Alors, je revis monsieur Tibère enveloppé dans sa cape noire, son sac des Galeries Lafayette à la main. Un immense chagrin reflua de mon cœur et vint brouiller mes yeux. Orpheline ? Papa est mort quand j'avais treize ans. Comment ai-je pu oublier ? Et vivre, et aimer, et manger…

– Maman…

Je sentis la main de Constantin sur mon épaule. J'étais restée prostrée dans le salon, assise devant la boîte.

– Ça va ?

– Même ce qui est absurde doit avoir un sens, dis-je à mon fils. Tu ne crois pas ?

– Je… je sais pas. Il paraît que… enfin, c'est sûr : monsieur Tibère est mort.

Il se mit à pleurer sans bruit. Machinalement, je démaillotai la boîte, d'abord les deux sacs, puis les deux élastiques.

– Constantin…

Il étouffa un sanglot.

– Oui, m'man.

– La boîte…

– Oui, m'man.

– Il y a un elfe dedans.

5

– T'as p't-être halluciné ? me suggéra Constantin. C'est comme les cloques.

– Peut-être, murmurai-je, assez peu convaincue.

– C'était quoi comme genre d'elfe ?

J'aurais bien voulu montrer à mon fils ce qu'est une vraie description. Mais les mots me faisaient défaut.

– Il dormait, dis-je enfin.

C'était la première chose que j'avais remarquée. Ses yeux clos. Je frissonnai.

– Ouais, mais l'était comment ? Moche-horrible ?

– Nnnnon… pas vraiment. Je n'ai pas bien vu, tu sais. J'ai eu si peur. Il… il a la peau blanche, presque verte. Phosphorescente, plutôt.

– Ah ouais ? Mais les mains ?

Constantin gardait comme moi le souvenir de

ces petits doigts noirs qui s'ouvraient et se fermaient. J'avalai ma salive et, dans un souffle, je lâchai :

— Noires.

Les jambes aussi. Un détail me revint :

— Il y a des fleurs sur la... sur le corps, quoi. Nous regardions la boîte, tout en parlant. Clac. Je relevai un des fermoirs.

— Maman, chuchota Constantin.

Clac. L'autre fermoir. S'il y avait bien un elfe dans cette boîte, ma vie allait basculer. S'il n'y en avait pas, je retournerais voir mon médecin. J'ouvris.

IL Y AVAIT UN ELFE.

— Maman, gémit mon fils.

— Tu le vois ?

— Oui.

Beetlejuice était entré au salon et, plaqué contre la moquette, il laissait échapper un grondement. Je refermai le couvercle.

— Il... il a l'air mort, balbutia Constantin.

De fait, il n'avait pas bougé.

— Qu'est-ce que tu as vu ? demandai-je à mon fils.

Nous ne pouvions pas avoir la même halluci-nation, lui et moi. Si sa description correspondait à ce que j'avais vu, le phénomène avait de grandes chances d'exister en dehors de nous et d'être réel. Je commençai l'interrogatoire.

— Quelle taille, selon toi?

— À peu près mon double décimètre.

— Le visage?

— Ben, normal. On dirait une poupée. Genre Ken, le fiancé de Barbie…

— Mais ce n'est pas une poupée?

— Non.

Impossible de dire d'où venait cette certitude. Le petit être était vivant. Ou l'avait été.

— Mais t'sais, m'man, les mains, c'est pas sa peau. Il a des gants noirs.

— Et les jambes, c'est un collant noir, ajoutai-je.

La petite chose était habillée. Son torse nu était à demi caché par un collier de fleurs — muguets et violettes.

— On regarde encore? me supplia Constantin. Peut-être il est en train de mourir? Y a pas de trous dans la boîte pour respirer.

Je repoussai le couvercle. L'elfe reposait sur le bois blanc. Il n'avait pas la peau verte, mais légèrement fluorescente quand il était dans l'ombre. Ses boucles blondes ne ressemblaient pas au crin des poupées. C'étaient des cheveux vivants. Mais lui, l'était-il encore ? Sous le collier de fleurs, on ne pouvait voir si le cœur battait ni si la poitrine se soulevait. Il aurait fallu le toucher pour savoir s'il avait gardé la chaleur de la vie.

— Avec mon stylo ? me proposa Constantin, qui n'avait pas plus envie que moi de s'y frotter.

Je pris un crayon et je l'enfonçai dans la petite épaule.

— Le bras ! s'écria mon fils en se reculant.

Le bras s'était replié, dans un mouvement réflexe. De mon cartable, sans quitter la petite chose des yeux, je sortis mon cutter. S'il le fallait, je lui trancherais net la gorge. Du bout de mon crayon, je touchai la tête. Instantanément, les yeux s'ouvrirent. Verts. Verts comme une eau de rivière, comme l'herbe sous l'arbre. Et l'iris un peu trop grand. Nous voyait-il ?

— C'est un rêve qu'on fait, m'man ? m'interrogea Constantin. On est dans un rêve ?

— Alors, j'aimerais bien que le réveil sonne, murmurai-je.

La petite chose nous avait vus. Elle nous souriait. D'un sourire qui étirait ses yeux et lui donnait un air méchant. La main gantée de noir accrocha le rebord

de la boîte. La chose allait se redresser. Je fis glisser
la lame de mon cutter, prête à réagir.

– M'man! s'extasia Constantin.

Je retins un cri d'émerveillement. L'elfe s'était
assis et, dans son dos, les deux ailes s'étaient dépliées,
avec un joli bruit de papier de soie. Plus fines encore
que des ailes de libellule, plus ciselées que des ailes
de papillon, elles n'avaient pas de couleur particulière, mais s'irisaient à la lumière électrique. L'elfe
baissa les yeux, comme une jeune fille qui vient de
faire son effet. Mais l'instant d'après, il nous regardait par en dessous, les yeux tout en longueur, les
pommettes tout en hauteur, presque asiatique, et très
inquiétant.

Fascinée par le spectacle, je n'avais pas remarqué
les travaux d'approche de Beetlejuice. En rampant,
il s'était approché de la table. Soudain, il se redressa
sur les pattes arrière et, les pattes avant sur le barreau
de ma chaise, il se mit à aboyer comme un démon.
L'elfe bondit sur ses pieds et se mit à trépigner. J'attrapai Beetlejuice par son collier. Il allait dévorer la
petite chose.

– Couché, Beetlejuice! Arrête! Beetlejuice!

Et tout à coup, au milieu de mes cris et des

aboiements du chien, on entendit une voix d'enfant, très haute et pleurnicharde.

— A peur de le chien! A peur de le chien!

— Maman! hurla Constantin. Il parle! Il parle!

C'était la scène d'hystérie la plus complète. Je parvins à jeter mon pauvre caniche dans le couloir et à refermer la porte.

— Il parle, maman! criait toujours Constantin, terrorisé.

— Maman! A peur de le chien! Maman! criait la petite voix.

L'elfe me tendait les bras, tout en trépignant de peur.

— Maman, me supplia-t-il, prends-moi dans les bras de toi!

— Calmez-vous, hurlai-je.

Sans plus savoir ce que je faisais, j'attrapai l'elfe à la taille entre le pouce et l'index et je l'allongeai dans la boîte. Il se débattit à peine. Je refermai le couvercle et y appuyai la main.

— Voilà, dis-je, totalement abasourdie.

Constantin essayait de ravaler ses sanglots. De temps en temps, il hoquetait:

— Il… il parle.

La main plaquée sur la boîte, je restai un long

moment, hébétée, mes pensées à la dérive. Tantôt, je me disais : je suis folle. Puis : c'est un rêve. Ou bien : c'est la fin du monde.

De ma main libre, je refaisais ce mouvement de pince avec le pouce et l'index. J'avais bien touché l'elfe, touché sa peau sous les fleurs. Douce, chaude, vivante. De la peau d'elfe !

— En fait, il a eu peur du chien, dis-je tout à coup, émergeant de mon abrutissement.

Nous nous regardâmes, Constantin et moi. Mon fils sourit faiblement.

— Il est tout petit, remarquai-je.

Constantin acquiesça.

— C'est comme une poupée. Je l'ai renversé sans problème.

Pour un peu, je me serais vantée d'avoir maté un elfe. J'ôtai ma main du couvercle. Rien ne bougea.

— On regarde ? me proposa Constantin.

J'hésitai à peine. Un besoin de vérifier encore et encore me tourmentait. Je repoussai le couvercle. L'elfe avait gardé les yeux ouverts.

— Où l'est, le chien ? me demanda-t-il.

— Dans la cuisine.

L'elfe s'assit au fond de sa boîte.

— Mais j'ai faim, moi, dit-il, le ton boudeur.

Mon fils sortit de sa sacoche un vieux paquet de chips écrasées. Il en posa une miette sur le bord de la boîte, prenant bien garde de ne pas effleurer l'elfe.

— Aime pas ça, moi, bougonna la petite chose.

Du bout de son pied, il fit basculer la miette de chips sur la table. Dans mon cartable, j'avais des pastilles au miel pour la gorge. J'en pris une.

— Et ça, c'est bon?

Je la déposai au creux des bras de l'elfe, qui grimaça d'effort. Il la laissa rouler sur le fond de sa boîte puis, se mettant à plat ventre, il la lécha. Ses ailes bien déployées frissonnaient au seul souffle de nos respirations. Constantin allongea la main et en caressa une.

— Touche pas à les ailes de moi! protesta l'elfe.

— Il a pas bon caractère, nota mon fils, assez penaud.

— Il parle comme Yves, tu ne trouves pas?

Yves est mon filleul. Il a trois ans.

— T'entends quand il lèche? murmura Constantin à mon oreille.

On aurait dit un chaton en train de laper. L'elfe donnait des coups de langue vigoureux, baissant et relevant régulièrement la tête. Il était soudain plus animal qu'humain.

— Mais j'ai soif, moi! s'écria-t-il en se redressant, le ton presque indigné.

Constantin partit comme une flèche vers la cuisine.

— Attention au chien! recommandai-je.

— Attention à le chien! répéta l'elfe. A peur de le chien, moi.

Il s'était assis, choisissant une jolie pose, les jambes un peu repliées sous lui, les ailes dans la lumière. Un sourire lui remontait les coins de la bouche. Plus séduisant que sympathique. Monsieur Tibère l'avait dit: «C'est une petite chose sans cœur. Il n'a pas de sentiments humains.» Mon fils posa devant lui mon dé à coudre plein de grenadine.

— Aime ça, moi, dit l'elfe, après avoir bu.

Puis, la mine effrontée, il me lança:

— Et comment je m'appelle, moi?

— Mais je ne sais pas. Tu as un nom?

Alors, l'elfe enfouit son visage dans ses mains et se mit à pleurer. Mais il entrouvrait les doigts pour nous épier. Qui n'a jamais vu un elfe en train de pleurer n'a jamais vu de menteur.

— T'as pas de nom, bredouilla Constantin. Tu veux qu'on t'en donne un?

— Ouiiii, sanglota l'elfe.

Mon fils m'interrogea du regard.

— Comment on pourrait l'appeler?

— Je n'en sais rien, marmonnai-je. On pourrait peut-être attendre que... le réveil sonne.

Mais Constantin cherchait un nom pour de bon.

— Moi, je veux appeler «Beetlejuice», dit l'elfe en cessant ses pleurnicheries.

— C'est impossible, lui objecta Constantin. C'est un nom de chien.

— Moi, je veux un nom de le chien, repleurnicha l'elfe.

— Timothée! m'exclamai-je.

C'était le nom que j'aurais voulu pour Constantin. Mon mari n'avait pas été d'accord, et ma mère non plus.

L'elfe bondit sur ses pieds.

— C'est le nom pour à moi?

Il trépigna d'énervement:

— C'est mon nom pour à moi?

— Oui, oui, dis-je, pour le calmer. Tu t'appelles Timothée.

Il se mit à rire, un rire qui montait et descendait dans les airs sur une invisible portée. Il dansa dans sa boîte en chantonnant:

— Je m'appelle. Je m'appelle. Ho, ho, Timothée !
Timothée, hé, hé !

Puis il s'envola. Droit vers le lustre où il se sus-
pendit, comme au cochon pendu, au milieu des
girandoles de cristal.

— Je m'appelle. Je m'appelle. Ha, ha, je suis tête
à l'en bas… Maman ! Tu me vois ? Attrape-moi pas !

Je ne le sus que beaucoup plus tard. Les hommes
ne doivent jamais donner de nom à un Élémen-
tal. Le nommer, c'est perdre sur lui toute autorité.
Je venais d'être roulée par Timothée. Fort heureusement pour moi, Timothée n'était qu'un elfe bébé,
encore peu sûr dans ses exercices de haute voltige.
En posant le pied sur une branche du lustre, il dérapa
et, dans son affolement, il oublia de déployer ses
ailes. Fort heureusement pour lui, j'étendis les mains
pour le rattraper, juste avant qu'il ne s'écrase au sol.
Il resta un moment inerte, un peu étourdi par sa
chute et sans doute assez vexé. Je le tenais fermement pour lui interdire de s'échapper.

— C'est trop serré, ragea Timothée en gigotant
entre mes doigts. Moi, je vais être mort, moi.

— Ne bouge pas comme ça, ordonnai-je. Tu vas
te froisser les ailes.

Tout doucement, je le déposai dans sa boîte. Il

voulut se relever. J'appuyai le bout de l'index sur sa poitrine et le forçai à se recoucher.

— T'es pas gentil, maman, bougonna-t-il, tandis que je rabattais le couvercle sur lui. J'ai pas de sommeil, moi.

Nous nous regardâmes en silence, Constantin et moi. Folie ou raison, réel ou illusion? Les mots ne signifiaient plus rien.

— Tu crois qu'il peut respirer? s'inquiéta mon fils.

Je soulevai un tout petit peu le couvercle, et la voix enfantine nous parvint:

— Mais j'ai pas joué, moi!

Je souris, puis remis en place les deux fermoirs dorés. Constantin s'étira en bâillant et je m'aperçus que j'étais fatiguée, tout simplement. Je pris la boîte en bois blanc comme on prend son bol de tisane pour aller se coucher.

— Fais de beaux rêves, dis-je à mon fils. De toute façon, ça ne peut pas être plus idiot.

Quand le réveil sonna à 6 h 30, le lendemain, ma première pensée fut pour ce rêve d'elfe que j'avais fait. Mon esprit, toujours en quête de rationnel, me suggéra que la mort de monsieur Tibère en avait

été la cause. Premier malaise en me levant : la boîte
était là, sur ma table de chevet. Mon fils entra alors
dans ma chambre, les yeux gonflés de sommeil, les
cheveux semés d'épis.

— M'man, j'ai fait un rêve trop mortel, c'te nuit.

Ses yeux se posèrent sur la boîte en bois blanc.

— Hein, c'était un rêve ? me demanda-t-il, déjà
vacillant.

Il y avait un moyen très simple de vérifier, toujours le même. Clac, clac, les deux fermoirs.

— Mais j'ai froid, moi ! bougonna Timothée en
se redressant.

6

Le fait d'avoir un elfe chez soi entraîne une si grande variété de soucis que, très rapidement, on ne perd plus de temps à se demander si on rêve ou pas. On agit. Donc Timothée avait froid. Les elfes attrapent parfois de terribles rhumes de poitrine qui les emportent au paradis des lutins en moins de rien. Mon fils trouva la solution avant même d'avoir avalé son petit déjeuner.

– J'ai des vieux Action Joe! s'écria-t-il. Y en a un avec un costume d'Indien.

– Je veux pas le Dindien, rouspéta Timothée.

La vue des mocassins le fit trépigner de colère.

– C'est en attendant autre chose, dis-je pour le calmer.

Non, c'était non. Il grelottait, mais il tenait bon.

– J'ai un truc de *La Guerre des étoiles*, se souvint Constantin. C'est une combinaison, genre cosmonaute.

74

Il la retrouva au fond de son coffre, un peu froissée, mais d'une étoffe argentée tout à fait flatteuse pour un elfe. Timothée ôta son collier de fleurs, ce qui me permit de constater qu'il était presque aussi musclé qu'Action Joe. Son âge mental était celui d'un enfant de trois ans, mais il avait l'apparence d'un jeune homme. Un jeune homme avec des ailes.

— Elle passe pas, la combi, constata mon fils, à regret.

— Je vais faire des encoches dans le dos, dis-je en prenant mon cutter.

Croyant que je parlais de lui, Timothée hurla de peur, courut sur la table, tomba dans la confiture de myrtilles, pleura, puis se consola en tétant une cuillerée de lait condensé sucré. Je commençais à avoir une sérieuse migraine. Nos efforts furent malgré tout récompensés. La combinaison s'ajusta merveilleusement à Timothée. Il y eut seulement un moment délicat au passage des ailes.

— Il faut les glisser dans la fente, expliquai-je à l'elfe.

J'attrapai une aile entre le pouce et l'index. Elle me parut d'une finesse terrifiante. De plus, je devais tirer sur la peau de l'omoplate où elle était fixée. Je risquais de l'arracher. Les dents serrées, le souffle

coupé, j'insérai l'aile dans la fente du tissu en la chif-
fonnant. Timothée se tortillait de douleur.

— Voilà, ça y est, c'est bon, dis-je, épuisée.

Les deux ailes se redéployèrent, intactes et joli-
ment argentées par la combinaison de cosmonaute.

— On peut mettre un désintégrateur cosmique à
la ceinture, me signala Constantin.

— Il y a plus urgent. On a une demi-heure de
retard. Avec le nouveau principal, je n'ai pas intérêt
à me faire remarquer.

Je rassemblai en hâte mes affaires, escortée par
Timothée qui voletait de mon épaule à une étagère,
puis de l'étagère au téléviseur.

— Mes clefs! Mes clefs! m'énervai-je en soulevant
les coussins du divan.

— Les clefs de maman, c'est dans le sac de maman,
claironna la petite chose.

Ce qui était exact. Restait à savoir ce que j'allais
faire de l'elfe pendant notre absence. Je ne pouvais
pas le laisser en liberté dans notre appartement.

— Bon. Viens dans ta boîte, toi!

De façon très prévisible, Timothée alla se percher
tout en haut du lustre.

— Je vais m'en aller, le menaçai-je, et je lâche le
chien qui est dans ma chambre.

Timothée trépigna à son habitude.

– A peur de le chien ! Oh non, a peur, maman !

Pour ne pas avoir l'air de céder à mon autorité, Timothée se rendit à mon fils. C'était la première fois que Constantin le tenait dans ses mains.

– Il est tout léger, murmura-t-il en le caressant.

– Mais t'arrêtes de toucher à les ailes de moi ! enragea Timothée.

– Mets-le dans sa boîte, ordonnai-je. Il nous a assez embêtés pour aujourd'hui.

Avec des gestes pleins de prévenance, Constantin allongea le petit être sur le fond de la boîte.

– C'est un peu dur, remarqua-t-il. Faudrait un oreiller.

– Veux un « oroiller », moi ! réclama Timothée.

– C'est ça, dis-je en rabattant le couvercle, et un duvet en plumes d'oie. On y va !

J'avais posé la boîte tout en haut de la bibliothèque mais, en entendant derrière la porte les aboiements déchaînés de Beetlejuice, je rentrai dans mon appartement et je repris la boîte.

– On l'emmène au collège ? s'excita mon fils. Ouais ! Parce que sinon personne me croira.

J'arrêtai mon fils par le bras.

– Constantin !

— Oui, m'man?

— Il ne faut parler de ça à personne. Tu m'entends?

— Mais pourquoi?

— Constantin, tu te rappelles ce que nous a dit monsieur Tibère: «Les Élémentals ne se matérialisent pas pour tous les yeux humains»? Timothée s'est promené chez nous pendant des jours et des nuits sans que nous le voyions. À mon avis, si tu ouvres la boîte devant le grand Cardon pour l'épater, il se fichera de toi.

— Parce que?

— Parce que la boîte sera vide. Si nous voulons avoir une petite chance d'échapper à l'internement psychiatrique, nous devons éviter toutes les conversations sur les elfes.

— Ah ouais… marmonna Constantin, rêveur. On croira qu'on est fous, hein?

Mon retard de près d'une heure ne passa pas inaperçu. Les élèves avaient fait du chahut devant la porte fermée du CDI, un surveillant avait alerté le principal, et le principal avait engueulé Sabrina qui avait perdu sa clef.

— Eh bien, tout de même! tonna-t-il en m'apercevant. Surtout, pfeu, ne vous pressez pas!

— J'ai crevé, dis-je, tout en pensant : «Et j'ai un lutin dans mon cartable, pauvre con.»

Il y a des choses comme ça qui vous donnent de l'aplomb.

C'était mardi. C'était donc pizza avec Jean-François.

Tout le long du trajet vers le restaurant, je me soutins le moral en me répétant : «La pescatore, c'est la meilleure.»

— Le plat du jour est à moitié prix, me précisa Jean-François. Aujourd'hui, c'est la pizza quatre saisons.

— À ce tarif, il n'y a plus que l'hiver et l'automne.

— Pardon ?

En plus d'être pingre, ce pauvre J.-F. ne comprend rien à mon humour. J'imagine les week-ends dans sa maison, du côté de Libourne. On taillerait les pommiers, en amoureux.

— Cela faisait longtemps que j'attendais ce moment, Madeleine, me dit Jean-François en posant sa main sur la mienne.

Je tressaillis. Pas terrible, la peau d'homme. Un elfe, c'est satiné. Jusqu'à l'arrivée de la pizza, J.-F. me parla de l'admiration qu'il avait pour moi, du travail remarquable que je faisais auprès des élèves, de mon chic parisien…

— Je suis normande, murmurai-je.

Même mon fils était un garçon extrêmement intéressant, selon son professeur de français.

— 6 sur 20 à son dernier devoir, rappelai-je à Jean-François.

Il toussota et m'assura que Constantin avait beaucoup de possibilités. Peut-être qu'avec quelques cours particuliers…

— Vous me feriez des prix? m'informai-je.

Enfin, la pescatore vint et je pus me concentrer sur mon assiette. Au café, je n'y tins plus.

— Excusez-moi. Je vais aux toilettes.

J'emportai mon cartable. Clac, clac, les deux fermoirs dorés. Je repoussai le couvercle.

— Moi, je veux des plumes de l'oie, moi, bougonna le petit elfe.

Les Élémentals passent leur temps à râler. C'est une chose qu'on ignore le plus souvent.

— Je vais t'acheter un oreiller, promis-je.

— Avec des plumes de l'oie?

— Avec des plumes de l'oie.

Timothée eut son sourire en pointes. Mais comme le soleil entre les nuées, ce ne fut qu'une brève éclaircie.

– J'ai faim, moi! s'énerva-t-il. Je veux la pizza de maman, moi!

Je le recouchai d'une pichenette et je refermai la boîte.

Sur le chemin du retour, monsieur Logé-Dangerre me reparla de son projet de lectures avec les cinquièmes 4.

– Vous aviez raison d'être sceptique. *L'Odyssée*, ils s'en foutent. Les contes de fées, ils s'en contrefoutent. Vous pensez! Ils n'entendent parler que de chômage, de sexe, de violence… À la rigueur, si le loup était au Front national ou si Barbe-Bleue épousait Beyoncé…

Je ris.

– Quel joli rire! s'attendrit Jean-François. Je devrais vous faire rire plus souvent.

Un bref instant, j'eus envie de lui parler de Timothée. Peut-être, il comprendrait…

– Hou là! Ça sonne, s'affola Jean-François. On va encore être à la bourre. Allez, à plus tard, Madeleine! Et merci. Mais si… merci.

Il n'est pas si mal que ça, pensai-je, en me sauvant par les couloirs. Et s'il n'est pas très grand, il mesure tout de même plus de vingt-deux centimètres!

Ce soir-là, avant de rentrer rue Rosa-Bonheur, je fis des folies chez Auchan, au rayon jouets. J'achetai «Ken star» pour sa veste à paillettes et «La chambre de Bella» avec draps, matelas, oreiller, puis la dînette de Pocahontas. Qu'est-ce qu'on peut inventer comme monstruosités pour les petites filles! Constantin était ravi.

— Il va être content. On ouvre?

— Tu as fait tout ton travail? demandai-je. On n'ouvre pas avant.

On aurait pu croire que je parlais de la télévision. Mais il s'agissait de la boîte en bois blanc.

— Où l'est, le monsieur de maman? fit Timothée en s'asseyant.

— Quel «monsieur de maman»? répéta mon fils en se tournant vers moi.

Je n'avais pas dit à Constantin que je déjeunais avec son professeur de français. Je fis une moue d'ignorance et j'enchaînai:

— Regarde ce que j'ai acheté, Timothée! On va pouvoir te faire un lit et tu auras ta vaisselle à toi. Et une belle veste toute brillante!

Timothée avait croisé les bras, l'air mécontent.

— Moi, veux un tégrateur comique.

— Un *désintégrateur cosmique*, rectifia Constantin.

Faut toujours qu'il réclame, ce petit machin ! Boude pas. Je vais te le chercher.

Constantin passa la fin de l'après-midi à jouer avec Timothée. L'elfe prenait son envol vers le plafond et brandissait le minuscule désintégrateur sur moi ou sur mon fils en faisant «pwizz, pwizz». Mais tantôt il se cognait aux crémaillères de la bibliothèque, tantôt il se brûlait aux ampoules électriques du lustre. C'était une suite de cris d'excitation et de pleurnicheries.

– À table ! appelai-je, après avoir parqué Beetlejuice dans ma chambre.

Dans une assiette en plastique décorée d'une superbe Pocahontas avec raton laveur, j'avais posé trois raisins secs, une rondelle de banane et des débris de sucre.

– Mais je vais pas manger la Dindienne, moi ! glapit Timothée, en envoyant un petit coup de pied dans l'assiette.

J'hésitai un moment devant le vide-ordures. Devais-je y passer l'elfe ou l'Indienne ? Finalement, je sacrifiai Pocahontas.

Après avoir mis mon chien dans la cuisine et Timothée dans ma chambre, je préparai un lit dans la boîte en bois blanc. C'était la première fois de ma vie que je jouais à la poupée. Quand j'étais petite fille, je voulais être petit garçon. Timothée, juché sur mon oreiller, me regardait faire. Je l'entendis qui marmonnait, le ton critique :

— C'est pas la plume de l'oie, ça.

Quand je voulus l'attraper pour le mettre au lit, il s'échappa d'un preste coup d'aile avec un rire aussi charmant qu'horripilant.

— Timothée, je vais chercher le chien !

C'était ma seule menace et j'en usais immodérément. L'elfe se posa de nouveau sur l'oreiller en pleurnichant :

— Mais veux jouer, moi !

J'eus le sentiment d'être une mère dénaturée. Je cédai :

— Tu joues un peu, pendant que je lis.

Alors, il cabriola sur mon lit, se perdant dans les plis de la couette et s'enfouissant sous le drap, s'inventant des tunnels et des cabanes. Soudain, il tira sur les boutons-pression de sa combinaison de cosmonaute.

— Moi, veux faire à poil. J'ai chaud, moi !

— Mais arrête ! Tu vas tout déchirer. Viens là.

Il se mit devant moi et fit du surplace dans les

airs tandis que je le déboutonnais. Le déshabillage fut beaucoup moins laborieux que l'habillage du matin. S'occuper d'un elfe n'est pas aussi difficile qu'on le supposerait.

Vêtu de son seul collant noir, Timothée repartit faire des galipettes et dévaler le long de l'oreiller. Oubliant ma lecture, je le regardais faire et je l'imaginais dans un sous-bois, sur la mousse ou parmi les violettes, jouant avec ses frères.

Les elfes sont les plus jolies créatures du monde astral. Je le dis sans parti pris. Les rares personnes qui ont vu des elfes se taquiner sous les muguets savent que c'est vrai. Les gnomes sont terreux, les knockers couverts de poils, les gobelins ont des dents de lapin, les kobolds marchent sur leur barbe. Les lutins, qui sont des proches parents des elfes, ont malheureusement les oreilles taillées en pointe et prennent du ventre avec l'âge. En appelant Timothée, nous avions tiré le meilleur numéro du monde astral. Mais pourrait-il jamais y retourner?

— Il est joli, Timothée?

Je sursautai. L'elfe s'était placé sur mon genou, papillonnant des ailes et des cils. Un certain malaise m'envahit. Qu'est-ce qu'il me voulait, ce vingt-deux-centimètres?

— Le monsieur de maman, l'est caca boudin, ajouta Timothée, un sourire lui étirant méchamment les yeux.

Puis, en équilibre sur un pied, il prit son envol et je restai dans mon lit, vouée à ma triste pesanteur.

Timothée s'endormit enfin à force de cabrioles, à plat ventre sur ma couette, les joues rosies par l'exercice et les ailes repliées. Je le soulevai pour le replacer dans sa boîte et je m'aperçus alors que sous la poitrine ne battait aucun cœur, même petit.

7

J'avais compris que désormais les petits déjeuners du matin me prendraient beaucoup de temps. Mon réveil sonna donc à 6 heures moins le quart.

– Y a pas de Nutella ? m'interrogea Timothée, à peine sorti de sa boîte.

Il avait les mains aux hanches et fronçait le nez avec impertinence.

– J'en ai marre de ce collant, ajouta-t-il. Pourquoi j'ai pas un pantalon comme Constantin ?

– T'entends comment il parle ? murmura mon fils.

Timothée lui dédia une belle grimace et commença à défaire son collant noir.

– Attends, attends, paniquai-je. Je vais chercher le costume de Ken.

Quand je voulus lui passer le pantalon, Timothée me l'arracha presque des mains.

– Eh, je suis plus un bébé!

Ce qui était l'exacte vérité. En une nuit, l'elfe avait vieilli. J'avais sur la table de la cuisine l'équivalent d'un petit garçon de huit ou neuf ans. Il joua au foot entre les bols avec un grain de riz soufflé, fit de l'équilibre sur le manche d'une cuillère, patina sur la lame beurrée d'un couteau, lâcha des morceaux de sucre dans mon café du haut du plafond, avec cet intéressant commentaire :

– Bombardement de maman! Mettez toute la sauce!

Je finis par attraper un torchon pour le taper, comme on écraserait une mite.

– Pitié, je me rends!

Il atterrit sur la boîte de Nesquik, les mains en l'air, et nous éclatâmes de rire, mon fils et moi.

– Je fais pas trop tarte avec cette veste? me demanda Timothée, toujours très inquiet de son apparence.

– Si, le taquinai-je.

Il s'en dépouilla en retournant les manches et balança le tout dans ma cafetière. Mon sang ne fit qu'un tour. Je le happai d'une main et le forçai à s'allonger dans sa boîte. Je rabattis le couvercle sur lui.

– Manman, manman!

Sa voix s'éteignit.

— Il est petit, murmura Constantin, les larmes aux yeux.

J'étais moi-même chavirée.

— Il faut qu'il apprenne qu'il y a des limites, me justifiai-je.

C'était mercredi. J'ouvrais le CDI le matin, mais mon fils, lui, n'avait pas cours.

— Tu vas le sortir de sa boîte dès que j'aurai le dos tourné, hein ?

Mon fils prit un air de soumission hypocrite.

— Je sais pas. C'est comme tu veux.

— Eh bien, méfie-toi, Constantin. N'oublie pas ce qu'a dit de lui monsieur Tibère : « Il n'est pas méchant, mais il pourrait le devenir. »

En réalité, je n'étais pas mécontente que Timothée tienne compagnie à Constantin, ce mercredi matin. Il m'avait si souvent réclamé un petit frère... Je partis, le pied léger.

C'était étrange de faire les gestes de tous les jours, mettre la clef de contact, allumer les néons du CDI, avec au fond de moi cette certitude : il y a un elfe, rue Rosa-Bonheur. Je ne pouvais plus regarder les gens de la même façon. Sans cesse, je me demandais :

et lui, et elle, si j'ouvrais la boîte en bois blanc, verraient-ils Timothée? Le principal, c'était non; Jean-François, ce n'était pas exclu… Quand je rentrai chez moi, l'appartement sentait le muguet à plein nez. Timothée avait dû virevolter toute la matinée. Mais pour l'heure, Constantin l'avait rangé.

— M'man! m'accueillit-il. Mamie a appelé. Elle va rappeler.

— Qu'est-ce qu'elle veut?

— On est de corvée, dimanche. Et devine quoi? Tatie sera là! Et les deux idiotes aussi.

Je soupirai. Puis, tout de suite après, je souris. Ma sœur n'a même pas d'elfe! Je libérai Timothée pour le déjeuner.

— Je peux faire un peu de jeu vidéo? me demanda-t-il, à peine redressé.

— Je vois que vous avez passé intelligemment la matinée, dis-je en regardant Constantin.

— Il est marrant, me répondit mon fils, à peine rougissant. Il tape les personnages sur l'écran. Il croit qu'il les tue.

— Ouais, me certifia Timothée, je leur fais péter plein de sang.

— Charmant, marmonnai-je.

J'attrapai mon elfe par l'aile et le posai sur la

table de la cuisine. Je savais à présent que c'était sans risque : les attaches sont solidement enracinées sous la peau, dans l'omoplate. Je lui préparai son repas : raisins secs et banane.

— Y a pas de ketchup ? réclama-t-il.

— Tu en as du ketchup dans le monde astral ? répondis-je, agacée.

— Ouais, ça s'appelle du coquelicot.

Constantin étouffait de rire à chaque bouchée. C'est là que je me rendis compte d'une chose qui m'avait échappé : depuis des semaines, mon fils ne riait plus. C'était normal, d'ailleurs. Notre existence n'avait rien de drôle. Mon mari n'avait pas donné signe de vie depuis trois mois. Nous n'avions entamé aucune procédure de divorce et je me retrouvais donc seule pour élever Constantin. Pendant ce temps, madame Vandrette continuait de dévaster mon appartement avec un air de satisfaction mélancolique.

— Votre aspirateur est archimort, m'annonça-t-elle, le lendemain. Et je sais pas ce qu'a votre sèche-linge. Mais il sèche plus grand-chose.

Cette femme me menait à la ruine plus sûrement que si je jouais aux courses.

Le dimanche, apothéose de ma semaine, je me

rendis chez maman. Ma sœur m'attendait de pied ferme, encadrée de ses deux filles, comme la pendule entre les deux chandeliers.

— Tu as vu ? Ça marche ! triompha-t-elle. J'ai perdu quatre kilos.

— Je me disais aussi que tu avais les traits fatigués.

Dès mon entrée, Véronique m'avait détaillée de la tête aux souliers. J'étais tranquille. Timothée m'avait examinée de la même façon, tandis que je mettais la touche finale à mon maquillage, et il avait conclu :

— Tu es belle, dis donc !

Je le revoyais, en équilibre sur le porte-serviettes, tellement attentif à la pose du mascara sur mes cils qu'il en ouvrait autant la bouche que les yeux. Je m'assis à la table de la salle à manger, souriant à cette vision.

— Ça va, ton travail ? me demanda maman.

On ne pouvait plus durement me ramener à la réalité. Le principal, monsieur Bertrand, était venu, le vendredi, me rapporter de prétendues plaintes de professeurs qui ne s'y retrouvaient plus dans mes classements au CDI.

— Et ton mari ? enchaîna ma sœur. Toujours pas de nouvelles ?

Je secouai la tête en suppliant mentalement :

Qu'elle se taise devant Constantin! Mon Dieu, faites qu'elle se taise!

– Qu'on laisse tomber sa femme, encore, je comprends, reprit Véronique. Mais abandonner son enfant, ça me révolutionne! Trois mois sans même téléphoner! Constantin pourrait être mort, il ne le saurait pas!

– Et ton mari, où est-il? demandai-je pour abréger le martyre de mon fils.

– À Singapour. Une grosse, grosse affaire. Ça peut nous rapporter des mille et des cents.

– Et on ira en vacances là-bas! couina Annabel.

– On achètera plein de trucs qu'on n'a pas en Europe! renchérit Sybille.

Les deux filles savent très bien qu'avec mon salaire de documentaliste je ne peux pas faire de folies pour Constantin.

– Tu ne prends pas plus de saumon, mon chéri? lui demanda sa mamie. Tu ferais bien de faire le plein. Ta maman peut pas t'en acheter tous les jours, du saumon.

– Nous ne sommes pas à la soupe populaire, dis-je, le ton acide.

Annabel éclata de rire. Je venais de lui offrir de quoi tourmenter Constantin. Je l'entendais d'ici:

«Et ton blouson, tu l'as eu chez les Petits frères des pauvres et gna gna gna.»

Pendant le café, les enfants s'éclipsèrent pour aller regarder la télévision. Ma sœur en profita pour me raconter sa cure de thalasso à La Baule.

– Tu devrais essayer pour faire maigrir...

Elle fit un geste vers mes cuisses.

– Tu n'y penses pas, Véro, la réprimanda maman. Madeleine n'a pas les moyens de se payer une cure. Réfléchis un peu!

– Ah oui, j'oubliais, murmura ma sœur avec un soupir de compassion.

Je lui offris le sourire détaché d'un saint Sébastien criblé de flèches. Je venais de repenser à la question de Timothée, la veille au soir:

– Dis donc, si ton mari revient pas, je peux le remplacer?

Je reposais juste ma tasse à café quand mon fils poussa la porte du salon à toute volée.

– Eh mais, casse le mobilier, on te dira rien! s'écria sa mamie.

Constantin sanglotait, la joue en sang.

– Elle m'a griffé! hurla-t-il.

Annabel arriva derrière lui, cherchant à couvrir sa voix:

– C'est lui. Il ne fait que de mentir! Il dit qu'il a un elfe chez lui. Dans une boîte!

– Et il m'a tapée parce que je ne le croyais pas! ajouta Sybille à mi-voix.

Je me levai d'un bond. J'attrapai mon fils par l'épaule pour le protéger de lui-même.

– Viens, Constantin.

Une fois dans la voiture, il voulut s'expliquer.

– Elles m'énervaient trop. «Moi, j'ai ci... moi, je vais avoir ça.» Alors, j'ai dit: «Moi, j'ai un elfe.»

– Tu es bien avancé. Elles se paieront ta tête chaque fois qu'elles te verront.

– Je les verrai plus jamais. Pourquoi on doit se voir si on se déteste?

– Parce que les liens de famille, c'est sacré, ricanai-je.

– Eh bien, moi, si je dois les revoir, je les tue.

Je ne pris pas garde à cette menace. J'avais tort.

Le lundi suivant, madame Vandrette, ramassant son cabas vert bouteille, m'annonça:

– Ah, faut que je vous dise...

– Oui, je sais, le sèche-linge ne sèche pas bien.

– Oh ça! il est archimort, reprit tranquillement

ma femme de ménage. Mais c'est pour le néon de la salle de bains...

— Il n'éclaire plus grand-chose, complétai-je.

— Il n'éclaire plus du tout, me terrassa madame Vandrette

Je dus me démaquiller à la lumière d'une bougie. Timothée cherchait à se faufiler dans la salle de bains quand je faisais ma toilette. Je vérifiais toujours qu'il n'était caché ni dans mon peignoir ni dans le rideau de douche. Il n'y était pas, ce soir-là.

— Il doit être avec Constantin, murmurai-je.

Je voulus m'assurer que l'elfe était dans sa boîte pour la nuit. Je me méfiais de Beetlejuice. J'allai donc frapper à la porte de mon fils. J'avais entendu des chuchotements et des rires me confirmant que Timothée était là. Le silence se fit soudain de l'autre côté. J'entrai. Tout de suite, je vis sur la moquette, dans un triangle tracé au fusain, les trois photos de ma sœur et de ses deux filles. Mon fils avait ses ciseaux d'écolier à la main.

— Qu'est-ce que tu fais ?

— Rien... C'est... c'est pour rigoler, bredouilla-t-il.

— On va les tuer, chantonna l'elfe en s'envolant vers la tringle à rideaux. Couic, couic. Avec les ciseaux.

Je poussai un cri de terreur.

– Constantin! Vous n'avez pas…

Je me baissai et mon fils se recula, effrayé. La photo de ma sœur avait déjà été entaillée à hauteur de la jambe droite. Les photos des filles étaient intactes.

– Mais c'est pas vrai, maman, fit Constantin, la voix tremblotante. On jouait.

– Si, si, c'est vrai! cria Timothée, accroché à la tringle. Couic, couic.

Je secouai mon fils par la manche de son pyjama.

– Tu ne te rends pas compte? C'est une créature sans cœur. Il n'est pas humain!

Un petit rire sardonique vint confirmer mes propos.

– Tuer quelqu'un ne lui pose aucun cas de conscience, chuchotai-je, en le surveillant qui se balançait tout là-haut.

Mon fils commençait à comprendre et écarquillait les yeux d'effroi.

– Timothée, descends! ordonna-t-il. Il faut arrêter tout de suite.

– Trop tard, Gaspard! chantonna la petite horreur. C'est fait, c'est fait.

– Tu descends ou je lâche le chien! menaça Constantin.

Pauvre Beetlejuice qu'on essayait de faire passer pour un fauve. L'elfe voleta à mi-hauteur entre plancher et plafond. Il ne frimait plus. J'étendis mon poing, comme un fauconnier, pour qu'il s'y pose.

— Qu'est-ce qu'on fait, maintenant? questionnai-je, les yeux noirs de fureur.

Timothée baissa la tête, pour simuler le repentir. Et aussi pour me cacher son regard. Le vert de l'iris avait tout avalé, pupille et sclérotique. Il était horrible.

— Tu me réponds ou je t'écrabouille, petite bête malfaisante!

— C'est Constantin qui m'a demandé de le débarrasser de…

— Ne dénonce pas les autres! criai-je, comme si je me croyais encore dans mon CDI. Je veux savoir ce qu'on peut faire pour empêcher… pour arrêter…

— On pourrait peut-être mettre un peu de Scotch? dit-il, ses lèvres remontant en pointes malicieuses.

Je scotchai donc la photo de ma sœur, à l'endroit de l'entaille, juste au-dessous du genou. Puis j'attrapai Timothée par une aile et le flanquai sans ménagement dans sa boîte. Clac, clac.

— Et il n'est pas près d'en ressortir, dis-je, en regardant mon fils bien dans les yeux.

Le lendemain, je reçus un appel de maman.

— Oh, c'est épouvantable ce qui est arrivé à Véronique, commença-t-elle.

Tout mon sang se retira de moi. Je dus m'asseoir.

— En sortant de la baignoire, elle a glissé sur une savonnette, me raconta maman. Elle a réussi à se rattraper au lavabo, mais juste à l'endroit où il y avait un gant de toilette. Le gant a glissé à son tour et Véronique n'a pas pu se rétablir complètement. Elle est allée tomber sur le bord du bidet. Fracture du tibia.

— Mon Dieu!

— C'est un moindre mal, se consola maman. Elle aurait pu se rompre le cou.

— Oh non, dis-je étourdiment. Ils avaient seulement coupé la jambe...

Ma sœur fut sans doute assez surprise de recevoir de ma part dans sa chambre d'hôpital un livre de 100 recettes minceur et une jolie nuisette en soie rose.

— Je suis très touchée, me dit-elle au téléphone.

— Tu ne souffres pas trop?

— Ça va mieux. Le plus embêtant, c'est qu'on ne va pas pouvoir rejoindre mon mari à Singapour pour les vacances de février. Les filles s'en faisaient une telle fête...

— Je suis désolée, murmurai-je en toute sincérité.

— Mais il ne fallait pas te ruiner en cadeaux, ma chérie, me répondit Véronique. Il ne faut pas vivre au-dessus de ses moyens, tu sais ? Veux-tu que je te rembourse ?

Le soir même, je mis fin à la quarantaine de Timothée. Au fond, j'avais été trop sévère.

8

– Trop mortelle, cette boîte! s'écria Timothée en se redressant. Il est garé, votre pitbull?

Nous nous regardâmes, Constantin et moi, cherchant à comprendre ce qui se passait.

– Il a encore vieilli, conclut mon fils.

J'allais donc goûter aux charmes de l'adolescence elfique.

– C'est quoi qu'on mange? J'ai hyper trop faim, dit l'elfe, enfonçant les mains dans les poches.

– Du calme, répliquai-je. Il est 11 heures. Je ne fais pas elfe-service, Timothée.

– Appelle-moi « Tim ».

– OK, Tim.

– Et j'en ai hypermarre de cette chemise pourrie. Je suis pas cadre sup' chez Eurodisney.

Timothée était en train de se dévêtir. Une vraie manie.

— Mais deux secondes! hurlai-je.

— Faut lui acheter «Ken aux USA», intervint Constantin. Trop cool, avec la casquette des Bulls.

— Trop cool avec la casquette des Bulls, l'imita Timothée. Tu m'as vu jouer dans *Un elfe chez les blaireaux* ou quoi? Ce délire. Trouve-moi un tee-shirt sans Mickey et je t'aime.

Tout en parlant avec mon fils, l'elfe me guettait du coin de l'œil. Il voulait m'épater.

— Tu as vu l'athlète? me demanda-t-il, en bombant son torse nu.

— Et qui va attraper un rhume de poitrine?

— J'attends pas après toi, tu sais, reprit-il, de plus en plus provocant. Des elfettes, j'en tombe autant que je veux.

— Mais tant mieux, répondis-je assez sèchement.

— Et même, je me suis fait une lutine de cent cinquante balais...

Je perdis patience:

— Il n'y a pas de quoi se vanter!

— Oh! La meuf, elle est jalouse, ricana Timothée.

Je l'attrapai par les deux ailes et je le secouai dans les airs.

— Tu remets ta chemise, tu fermes ta petite gueule et tu te laves les mains avant de passer à table.

Je le lâchai sans précaution et il heurta rudement le sol.

— Y a du ketchup?

Ça, au moins, ça n'avait pas changé.

Le désastre qui m'attendait dans la cuisine n'était pas fait pour me calmer. Mon réfrigérateur semblait avoir fait pipi sous lui. Je me souvins que madame Vandrette m'avait signalé une faiblesse de son côté.

— Mais ce n'est pas possible, me lamentai-je. Le frigo en panne, maintenant!

— Et c'est pas fini, me prévint Timothée. C'est tout qui va partir en couilles.

— Qu'est-ce qu'y veut dire? me chuchota Constantin à l'oreille.

De nouveau, j'attrapai l'elfe par les ailes et je le secouai comme un chiffon à poussière.

— Mais lâche-moi les ailes, merde!

— C'est toi qui casses tout dans la maison, hein?

— Mais t'hallucines, parole! se défendit Timothée. Moi, je fais juste des blagues avec la louche. Et si tu me lâches pas, je te dis pas le coupable.

Je libérai le petit démon qui fit toutes sortes de grimaces de douleur en pliant et dépliant ses ailes.

— Alors, le coupable? le relança Constantin.

– C'est madame Vandrette.

Je haussai les épaules.

– Elle a le mauvais œil, peut-être?

– Non, elle a des gremlins dans son cabas.

J'hésitai à rire.

– Comment ça, des gremlins?

– Ben, des gremlins, reprit Timothée. Ils squattent son cabas. Quand elle fait des ménages chez quelqu'un, hop, ils descendent du sac et ils cassent tout. Ça les défonce de casser.

On chasse les mites et les termites. On piège les loirs et les souris. Mais quand, dans une maison, l'écran de télévision se brouille, le grille-pain court-circuite et l'évier régurgite des trognons de chou, personne ne songe aux gremlins.

– Je ne peux pas renvoyer madame Vandrette sans raison, répondis-je à Constantin qui m'en faisait la suggestion.

– Surtout que les gremlins connaissent l'adresse, ajouta Timothée. Ils viendront dans la sacoche du facteur.

– Mais enfin, qu'est-ce que je leur ai fait? m'indignai-je. Je ne vais pas me laisser persécuter indéfiniment!

L'elfe claqua des doigts:

— T'inquiète! On va t'en débarrasser.

La première chose à faire, c'était de jeter le cabas de madame Vandrette, qui était le mode de transport des gremlins. Ceux qui m'envahissaient étaient au nombre de trois: Robi Petit-Pied, Lansquenet et Flutiaux. Ils étaient sous les ordres d'un gobelin teigneux nommé Topette.

— Mais tu les as vus, toi? demanda Constantin à l'elfe.

— Comme je te vois, mon pote. Le gobelin, il est trop. Il a une tête d'œuf avec une touffe de cheveux sur le dessus. Et sa peau, ça dégoûte, tellement qu'elle est vérolée. Puis, il est pas net. Il m'a fait des avances…

— Bon, bon, l'interrompis-je (ne me sentant pas d'humeur à me documenter sur les mœurs des gobelins). C'est Robi truc et Topette machin qui me font disjoncter tout mon électroménager?

— Affirmatif, me répondit Timothée. Flutiaux, sa spécialité, c'est plutôt la tuyauterie, les robinets qui gouttent, les chasses d'eau qui fuient. Il bouffe les joints.

— Mon Dieu, soupirai-je. Et si je jette le cabas de madame Vandrette dans les poubelles de la cave, tu crois que ça suffira? Ils risquent de remonter par le vide-ordures?

— Affirmatif, répéta Timothée, qui prenait des allures de chef de commando. C'est par le vide-ordures que je suis monté chez vous. Alors, premier point : assurer la protection de la maison. On met des pointes partout.

— Ah ouais, se souvint mon fils. Le coup des aiguilles à tricoter dans les pots de fleurs.

— Deuzio, protection personnelle, poursuivit l'elfe. Faut vous faire un pentacle de protection.

— Un quoi? m'exclamai-je.

— Purée, mâchonna Timothée. Ils ne connaissent rien chez les humains!

Nous devions découper un petit carré dans du papier à dessin et l'orner à l'encre de Chine bleu nuit de ces simples mots :

ROS
ORA
SAL

— La rosée, la prière et le sel, traduisis-je à mon fils.

Ce carré de papier, nous devions le porter sur

nous en permanence, et si possible près du cœur. Il nous permettrait de repousser loin de nous les êtres du bas astral.

— Tertio, la contre-attaque, conclut Timothée. Il faut s'appuyer sur la défense existante : les maîtres des aîtres.

— Les quoi ?

De temps en temps, mon esprit rationnel avait un sursaut. « Les maîtres des aîtres », non, c'était trop.

Imperturbable, Timothée nous expliqua que toutes les maisons sont habitées, avant même qu'il y ait un locataire humain. Ces premiers occupants, invisibles naturellement, sont le plus souvent des hôtes accueillants. Mais il leur arrive aussi de ne pas apprécier les « nouveaux » locataires ou de s'en désintéresser. Dès lors, la protection de la maison n'est plus assurée par ses défenseurs naturels.

— Et ici, c'est le cas ? demanda Constantin.

— Affirmatif, répondit Timothée. Il va falloir renouer les contacts.

Nous devions faire une offrande aux maîtres des aîtres.

— Et c'est comment, une offrande ? questionna mon fils.

Moi, j'avais renoncé à toute demande d'information supplémentaire. L'absurdité dans laquelle j'étais plongée finissait par engourdir mes facultés intellectuelles.

— Tu mets du gros sel dans une soucoupe, dit Timothée, et du pain frais dans une corbeille. Et tu passes dans toutes les pièces avec. Oh! Madeleine, t'entends quand je cause?

Je sursautai. C'était la première fois que l'elfe usait de mon prénom et, bien que ce fût sur un ton insolent, je n'en rougis pas moins.

— J'entends, murmurai-je. Mais parle-moi plus gentiment, chéri.

Ce fut lui qui rougit.

— Et remets ta chemise. Tu vas prendre froid.

Il m'obéit enfin, avec son petit sourire en pointes et ses yeux par en dessous. Toutes ces nuances avaient échappé à mon fils qui versait du sel dans une soucoupe, semait des clous sur les étagères et cherchait du papier Canson dans son cartable. Nous serions fin prêts pour la contre-attaque du lundi suivant.

Ce jour-là, madame Vandrette entra chez moi, son ciré dégouttant de pluie.

— Ce temps qu'il fait, se plaignit-elle. Ah là là, on serait mieux chez soi.

Elle lâcha son cabas vert, qui s'avachit dans une pose immonde.

– Vous avez l'air bien chargée, remarquai-je avec une moue écœurée.

– Hein, ça a pas l'air? Ça pèse trois tonnes, me répliqua-t-elle.

Elle défit ses bottines à fermeture Éclair et sortit des pantoufles de son cabas.

– On fait-ti les poussières du salon, aujourd'hui?

Je tressaillis en songeant aux clous, ciseaux et lames de rasoir que Constantin avait déposés sur les étagères.

– Non, non, ce n'est pas la peine, madame Vandrette. Faites plutôt la cuisine à fond.

Je ne quittais pas des yeux le cabas vert bouteille. Dès que ma femme de ménage s'en éloignerait, je sauterais dessus et je filerais à la cave.

– Ah, au fait, me dit encore madame Vandrette, chaussons aux pieds, il y a le robinet d'eau chaude qui fuit…

Saleté de Flutiaux, pensai-je, les yeux presque exorbités à force de surveiller le cabas.

– Bon, quand faut y aller, faut y aller, gémit ma femme de ménage. Ah là là, y a des jours où on ferait mieux de rester couchée.

Je bouillais d'impatience : les gremlins allaient sauter du cabas d'une minute à l'autre. Dès que madame Vandrette eut quitté l'entrée, et sans me donner le temps de la réflexion, je bondis sur le sac et courus vers l'escalier. Quatre à quatre les marches. La cave. La plus grosse poubelle. Le couvercle rabattu sur le cabas. Je haletais.

Quand je remontai chez moi, j'avais sur les lèvres le sourire du triomphateur. Triomphe de courte durée : qu'est-ce que j'allais raconter à madame Vandrette quand elle chercherait son cabas ? Je choisis la solution la plus lâche :

– Madame Vandrette ! J'ai une course à faire. Quand vous aurez fini, claquez la porte derrière vous.

J'attendis le lundi suivant avec une certaine appréhension. Je devais croiser madame Vandrette juste au moment de partir pour le CDI. Dès l'entrée, elle s'écria :

– Ah, madame Bouquet ! Vous imaginez pas ce qui m'est arrivé lundi…

J'avais baissé les yeux sur son cabas. Un joli cabas bleu marine. J'écoutai madame Vandrette me raconter ses malheurs, et comment elle avait cherché partout, et comment elle n'avait rien retrouvé, rien ! Le Kitekat, les rouleaux de papier hygiénique double épaisseur et le Tupperware que lui avait prêté sa belle-sœur, tout avait disparu. Et bien sûr, son inestimable cabas vert bouteille. J'avais pris l'air de la dame qui, tout en s'interrogeant sur la santé mentale de son interlocutrice, essaie de rester patiente et polie.

– Enfin, l'essentiel, dis-je en enfilant mon imper, c'est que vous ayez un nouveau cabas ! J'aime mieux ce coloris, d'ailleurs.

9

Peu de temps après notre victoire sur les gremlins et sur Topette, le gobelin aux mœurs douteuses, je rapportai à mon elfe préféré un tee-shirt et un jean arrachés à un clone taïwanais de Ken.

– C'étaient les soldes chez Tati? me demanda Timothée.

Mais par pure taquinerie. Car mon elfe devenait chaque jour plus charmant.

– Alors, Madeleine?

– Alors, Tim?

– On s'aime toujours à la folie?

– Naturellement.

Quelque chose me tourmentait:

– Pourquoi es-tu venu chez moi?

– Parce que c'était l'étage au-dessus de monsieur Tibère.

– Et pourquoi as-tu quitté monsieur Tibère?

— Tu veux vraiment le savoir?

— Oui.

— Regarde-moi dans les yeux.

J'obéis. Alors, je vis l'iris vert s'agrandir, dévorant tout le blanc de l'œil. Mon charmant petit elfe devenait une chose innommable, une divinité des anciens temps qui réclame des sacrifices barbares, un démon de marbre et d'émeraude.

— J'ai des pouvoirs, Madeleine, dit Timothée, en baissant les yeux, un peu gêné. Et monsieur Tibère avait fait de moi son esclave.

Ce vieil homme m'avait bien trompée. Comment avait-il utilisé Timothée? «Il n'est pas méchant, mais il pourrait le devenir», m'avait-il dit. Quel mal avait fait mon elfe, quels crimes, peut-être, avait-il commis?

— Tu m'as donné un nom, Madeleine. Je ne serai plus l'esclave de personne.

Je caressais les ailes de soie et de velours.

— Et tu vas devenir un gentil petit elfe, Timothée?

Il me fit son plus vilain sourire.

— C'est ça, un gentil petit elfe.

Les cinquièmes 4 étaient loin de devenir de gentils petits élèves. Les séances au CDI avec monsieur

Logé-Dangerre m'étaient de plus en plus insupportables. Parler de fées à des ados aux grands pieds relève de la folie furieuse. À *Peau d'âne*, le grand Cardon hoquetait de rire, au *Chat botté*, il en pleurait, et à *La Mort marraine*, il en pissait.

— Mais vraiment, mais vraiment, s'énervait Jean-François, il n'y a rien de drôle! Rien de drôle!

Ce jour-là, en plein milieu de *Riquet à la houppe*, tandis que le grand Cardon sautait sur sa chaise en faisant «houp, houp!», je me ruai sur lui et le secouai de toutes mes forces.

— Tu passeras donc toute ta vie au ras des pâquerettes, sans jamais y voir une seule fée! Oui, l'autre monde existe. Nos yeux de chair ne voient que ce qu'ils peuvent voir. Mais ce n'est pas tout ce qui existe. Car il y a bien un trésor au pied de l'arc-en-ciel pour celui qui sait chercher.

Relâchant Cardon, je me tournai vers la classe médusée.

— Avez-vous déjà vu, de vos yeux vu, l'infrarouge et l'ultraviolet? Avez-vous déjà entendu les ultrasons? Pourtant, l'infrarouge et les ultrasons existent! Vous ne voyez pas les fées, les elfes, les gobelins? Qu'est-ce que cela prouve? Que vous êtes sourds et aveugles! Car ils sont là, tout autour de vous.

Je fis semblant de les toucher en allongeant la main.

— Ils sont là par brassées. Parfois, un chien dresse l'oreille et vous ne savez pas pourquoi. C'est parce que lui les entend. Parfois, un chat regarde dans le vide et vous ne savez pas quoi. C'est parce que lui les voit. Chaque jour davantage, notre monde, qui croit avoir percé tous les mystères, s'éloigne du monde des fées. Pourtant, les hommes sont faits de rêves comme les elfes. Rêvez et vous les verrez!

Je me tus, brisée d'émotion. Alors, j'entendis Jean-François murmurer:

— «L'essentiel est invisible pour les yeux.»

Je le remerciai d'un grand sourire. Mais ce soir-là, Constantin revint à la maison avec un œil poché.

— On s'est battus, me dit-il crânement. Cardon et moi, on s'est battus. Il a saigné du nez.

— Pourquoi vous vous êtes battus?

— Y m'a dit: «Ta mère à poil avec le Père Noël!» La prochaine fois, t'inquiète que je le démonte.

Constantin se mit à rire.

— Mais y aura pas de prochaine fois. T'inquiète qu'il a peur de moi.

— Et toi, dis-je, tu n'as plus peur de lui?

Constantin passa la main sous son col de chemise

et en tira un bout de carton fixé à une corde-
lette.

ROS
ORA
SAL

Peut-être aurais-je dû porter, moi aussi, un pentacle de protection ? Mais les chefs d'établissement, aux
dernières nouvelles, ne font pas partie des êtres du bas
astral. J'étais sans défense devant monsieur Bertrand.
Il était venu me dire, devant des élèves, que j'étais
incompétente, que je ne me faisais pas obéir, que
ma stagiaire passait ses journées devant le distributeur
de boissons, qu'il allait exiger une inspection et que
j'avais tout intérêt à remettre Victor Hugo en rayon.

– À la lettre V ou à la lettre H ? lui avait demandé
Sabrina.

Donc, le lundi suivant, la mort dans l'âme, je
remis *La Légende des siècles* en bataillons serrés sur les
étagères et je rangeai Susie Morgenstern dans mes
cartons.

– Où vous avez mis les livres ? me demandèrent
mes petites lectrices de sixième, en tirant le nez
devant les classiques.

Je n'allais bientôt plus avoir un seul client au CDI. Le club lecture était au bord de la faillite. Le club journal en était au dépôt de bilan. Et moi, je n'en pouvais plus de chagrin de voir tous mes chers bouquins en vrac dans des caisses d'Évian.

— Pas le moral, Madeleine ?

— Pas trop, Tim.

— Couic, couic ? me proposa-t-il, ses yeux s'étirant jusqu'à n'être plus qu'une fente verte.

Je haussai les épaules.

— De toute façon, il faudrait une photo.

— Mais tu en as une, chuchota Timothée près de mon oreille. La photo de classe de Constantin. Le principal s'est fait photographier sur toutes les photos de classe. L'orgueil a toujours perdu les hommes.

Je dévisageai mon serpent d'elfe, plus tentée qu'Ève au Paradis. Perdue dans les brumes de mes songes, je sortis d'un tiroir la photo de classe des cinquièmes 4. Le principal n'y apparaissait qu'à demi, mais c'était bien suffisant.

— Je ne veux pas le tuer, dis-je.

— Oh non, nous ne voulons pas le tuer, m'imita Timothée. Mais un petit coup de ciseaux n'engage à rien.

Il avait l'air si fourbe que j'hésitais encore.

— Juste une entorse, murmurai-je. Que j'aie la paix quinze jours.

Timothée m'approuva de son sourire tout en pointes et s'envola vers la photo. Ce qu'il fit, ce qu'il marmonna, je n'en ai plus qu'un vague souvenir. Car je ressentis au même moment une fatigue telle que je fermai les yeux. Soudain, un souffle chatouilla mon oreille.

— Vas-y. Couic, couic…

Presque somnambule, je pris les ciseaux, les ouvris grand et les approchai de la tête de monsieur le principal.

— Vas-y!

— Mais je ne veux pas le tuer, protestai-je, comme quelqu'un qui se débat dans un cauchemar.

— Mais non, chantonna l'elfe, juste une entorse. Une entorse du cou…

Son rire me glaça le sang. Soudain, je vis ce que je m'apprêtais à faire. Les ciseaux allaient décapiter à la fois le principal et Jean-François, à côté de lui. Timothée, jaloux du professeur, espérait bien faire d'une pierre deux… cous. Lentement, j'abaissai le bras et je me contentai d'une petite entaille, juste au-dessus de la chaussure de monsieur le principal.

— Même pas drôle, grommela Timothée.

Le lendemain, Sabrina m'attendait devant le CDI.

– Tu as encore perdu ta clef? demandai-je.

– Non. C'est pas ça. Un truc affreux, Madeleine. Le principal...

Je pris une grande inspiration et posai la main sur le bras de ma stagiaire.

– Doucement, Sabrina... Alors, monsieur le principal?

– C'est à cause de la pluie. Il a glissé sur une plaque d'égout devant le collège, juste comme un autobus arrivait.

Je poussai un cri d'horreur. Non, je n'avais pas voulu ça!

– Il s'est tordu la cheville, mais grave, conclut Sabrina.

– Et... et l'autobus?

– Oh ben, une chance que l'arrêt de bus est avant la plaque d'égout.

Je portai une main à mon front, encore toute tremblante.

– Bon. Va nous chercher deux cafés, Sabrina.

Et tandis qu'elle s'éloignait, j'ajoutai à mi-voix :

– Pour fêter ça.

L'après-midi, Jean-François débarqua dans le CDI avec toute sa classe.

— On vient remettre vos livres en place ! m'annon-
ça-t-il.

Un vent de révolte soufflait sur le collège. Cardon, Cendrillon : même combat !

— Vous avez lu *L'Homme au hachoir* ? me demanda
Joderan.

— Oui, dis-je. Trop mortel. Et toi, tu connais
La Marque du Diable ?

Nous passâmes les deux heures de français à parler bouquins, fées et lutins.

— Hyper trop cool, décrétèrent mon fils et le grand
Cardon, devenus inséparables.

— Ce que vous leur avez dit, l'autre jour, me glissa
Jean-François, on en a reparlé en classe. Ça a fait son
chemin...

— Et vous, répliquai-je, trouveriez-vous celui de
ma maison ?

En dépit de tous les elfes de la terre, j'étais restée
raisonnable dans mes rêves. Jean-François n'était pas
le grand amour de ma vie, mais c'était quelqu'un
de bien.

— Tu vas ouvrir la boîte devant J.-F. ? s'exclama
Constantin. Mais pourquoi ? Il ne verra rien.

— On parie combien ?

– Dix euros.

Je fis mes préparatifs pour la soirée. Une jolie nappe, un lapin aux pruneaux. Mon fils regarda un peu soupçonneusement la robe décolletée que j'exhumai d'un placard, mais ne fit aucun commentaire.

– C'est le grand soir, Madeleine ? me demanda Timothée, accoudé au porte-savon, tandis que je me maquillais.

– Oui, pour toi. Je vais te présenter à Jean-François.

– Veinard que je suis !

Je l'éclaboussai d'une pichenette mouillée. Il s'envola vers la pomme de la douche. Arrivé là-haut, il se dépouilla de son tee-shirt, puis balança son jean dans la baignoire.

– Qu'est-ce que tu fais ? m'affolai-je.

– Jean-François va voir ce qu'est un elfe, un vrai ! me répondit Timothée, aussi nu que peut l'être un elfe.

Il accepta bien gentiment de rentrer dans sa boîte, mais je l'aurais préféré un peu plus décent. Et le rayon vert qui étirait ses yeux ne me disait rien de bon.

J'avais décidé de n'ouvrir la boîte qu'au dessert.

Le dîner en devint presque excitant. Pourtant, il y fut surtout question des progrès de Constantin en expression écrite et de la sévère entorse du principal. Par moments, mon fils partait d'un rire idiot en me regardant. Il attendait le moment où je poserais sur la table un bavarois au chocolat.

— Voilà, dis-je en mettant le gâteau devant Constantin.

— Tu m'en files un gros bout ! s'exclama-t-il en se levant. Je reviens, hein ?

— Ce qu'ils sont agités, à cet âge, remarqua Jean-François, le ton indulgent.

J'étais moi-même à moitié folle d'énervement.

— Un peu de... un peu de... un peu de... dis-je, brusquement enrayée.

— De gâteau ? compléta Jean-François.

Je restai le geste suspendu, guettant le retour de mon fils. Enfin, il entra, les mains dans le dos.

— Je vous sers, Jean-François ! m'écriai-je, hors de moi.

— On pourrait peut-être se tutoyer ? me répondit J.-F., en me tendant son assiette.

La boîte était sur la table, derrière la corbeille à pain. Clac, clac, les fermoirs dorés. Timothée repoussa lui-même le couvercle. Mon fils eut une grimace de surprise en l'apercevant. L'elfe ne semblait plus du tout fait de chair et de sang. Parfaitement nu et cristallin, s'il s'était immobilisé, on aurait pu le prendre pour un petit sujet de pendule. D'un coup d'aile, il s'envola et s'arrêta sur le bouchon du champagne, dans la pose du Génie de la Bastille.

— Ça m'a l'air délicieux, ce gâteau, dit Jean-François, absorbé dans la contemplation de mon bavarois. C'est toi qui l'as fait ?

— Vous voulez du champagne ? proposa Constantin, pour attirer le regard de son professeur vers la bouteille.

— C'est un appel du pied pour que je t'en serve un peu ? plaisanta J.-F. Tu permets que je débouche, Madeleine ?

J'acquiesçai en silence. Timothée venait juste de s'envoler du bouchon et il pirouettait dans les airs, tout près du lustre.

— Il doit y avoir une fenêtre ouverte, dit Jean-François. Vous avez remarqué cette odeur ?

— Une odeur ? répétai-je.

— Oui, à l'instant.

Il renifla.

— On dirait du muguet…

Je me tournai vers Constantin.

— Tu sens quelque chose?

— Non. Rien.

Comment obliger Timothée à se poser une bonne fois sous le nez de Jean-François? Finalement, mon elfe choisit de s'immobiliser sur la cheminée, dans une pose dansante, une cuisse levée, les mains aux hanches.

— Tu prendras du café? demandai-je à Jean-François, en quittant la table.

— Non, je ne dormirais pas, me répondit-il.

Tranquillement, il se dirigea vers les fauteuils du salon.

— Oh!

Mon cœur s'arrêta un instant de battre. Jean-François, qui venait de pousser cette exclamation, regardait la cheminée. Il le voit, ça y est, il le voit, pensai-je. Au fond, je n'avais pas cru la chose possible. Constantin s'était approché, l'air égaré. Il ne veut pas que d'autres que nous voient Timothée, pensai-je encore. Et moi-même, n'étais-je pas déçue? Jean-François était devant la cheminée.

— Mais comme c'est joli! dit-il. Où as-tu trouvé cette petite merveille?

Il avait pris Timothée d'une seule main et l'admirait à la lumière.

— Un petit amour? Non, un elfe, murmura-t-il. Oui, un elfe. Et ces ailes, comme c'est bien fait... C'est italien, non?

— Vé... vénitien, balbutiai-je.

— Murano, les souffleurs de verre, rêva Jean-François. C'est ravissant. Et coquin.

Quand il reposa Timothée sur le marbre de la cheminée, nous entendîmes distinctement le léger tintement du verre.

Sur le palier, au moment de nous séparer, Jean-François voulut m'embrasser. Et m'embrassa.

— L'elfe... et la fée, chuchota-t-il à mon oreille. Je t'aime.

Mon fils m'attendait au salon, goguenard et le bras tendu:

— Dix euros, m'man.

— Cinq, marchandai-je. Jean-François a tout de même vu Timothée.

Un Timothée en verre de Murano. Des yeux, je le cherchai. Constantin l'avait rangé dans sa boîte. Je le libérai, une fois dans ma chambre. Il n'avait plus rien d'un sujet de cheminée. Il s'adossa à mes jambes pliées et se laissa admirer, les mains croisées derrière la nuque. Ses yeux comme deux lasers verts, ses ailes de nacre, sa peau d'or blanc, c'était une fenêtre ouverte sur l'autre monde, c'était un enchantement. Quand il me jugea suffisamment éblouie, il reprit ses cabrioles de lutin, se balançant aux rideaux et faisant du rase-mottes au-dessus de l'oreiller. J'essayais de lire.

Quand il s'endormit sur la couette, un peu haletant, je restai encore un long moment à le regarder. Qu'il ait des ailes, passe encore. Quand on est fée, on peut admettre quelque originalité chez un fiancé. Mais vingt-deux centimètres!

10

Comme ce mois de mars s'annonçait bien! Il faisait beau sur Bordeaux, beau tous les jours, comme si le ciel avait décidé d'enfiler chaque matin le même pantalon bleu. Avant les vacances, j'avais eu droit à mon inspecteur de l'Éducation nationale et à ses plus chaleureux encouragements. Il avait trouvé très original mon choix de livres pour la jeunesse. Il avait beaucoup ri des naïvetés de Sabrina. Il avait engagé la discussion avec les cinquièmes 4 de monsieur Logé-Dangerre et s'était émerveillé de leurs connaissances sur les contes.

— Alors, vous aimez lire? avait-il demandé, son regard tombant par hasard sur le grand Cardon.

Celui-ci avait rougi et répondu:

— C'est les animaux qui lisent pas.

— Bien trouvé! L'homme sans imagination n'est humain qu'à moitié, conclut l'inspecteur.

Il était presque amoureux de moi, en me quittant. Amoureux, Jean-François l'était tout à fait. Et moi, j'avais rajeuni de dix ans en quinze jours. J'avais raccourci mes cheveux et ma garde-robe. Quand ils m'avaient vue, Timothée avait claqué la langue et Constantin avait détourné les yeux. Succès complet. Non, je n'étais pas allée me faire admirer par ma sœur, les dimanches suivants. J'avais mieux à faire que d'attiser sa jalousie dans une salle à manger. Le week-end, nous allions nous promener à Arcachon, mon fils et moi, ou nous allions respirer l'air du large au Grand-Crohot.

— Pourquoi vous ne m'emmenez jamais? gémissait Timothée, le dimanche soir.

— C'est vrai, il est toujours enfermé, plaida Constantin. Ça doit pas être marrant.

Une peur secrète me retenait. Timothée était un peu notre prisonnier. Que se passerait-il si notre elfe retrouvait la lumière du soleil et le couvert des feuillages? Je savais que, s'il s'échappait, tout mon bonheur s'évaporerait comme une légère buée.

Pourtant, un dimanche, nous emportâmes, en plus du pique-nique, la boîte en bois blanc. Direction la forêt d'Hourtin. Quand nous nous enfonçâmes sous les chênes verts, les vapeurs du matin montaient encore de la terre. Nous étions les premiers promeneurs, semblables à tous ceux qui après nous emprunteraient les chemins sablonneux. Constantin disparaissait dans les fourrés, revenait les mains collantes de sève, une herbe folle entre les dents, semblable à tous les jeunes garçons lâchés dans la nature.

Dans une clairière, près d'un tronc d'arbre couché, je posai le panier du pique-nique. Il faisait doux, si doux dans les flaques de soleil qu'au sortir de sa boîte Timothée déploya ses ailes sans hésiter. Il était torse nu et en collant noir, comme la première fois, et je lui tressai un collier de fleurs printanières. Pendant ce temps, mon fils jouait à le chatouiller avec un pissenlit ou le picotait avec une branche de pin. Timothée semblait intimidé par tout l'espace qui s'offrait à lui, comme un chat d'appartement qui découvre le jardin.

— Va jouer, dis-je pour l'encourager.

Il fit deux pas, s'enfonçant dans la mousse dorée. Puis il s'y coucha à plat ventre, s'y roula, y rampa. Soudain, ses ailes parurent flamber dans un rayon de soleil : il s'envolait. Je sursautai.

— Tim, ne t'éloigne pas ! Il... il y a des chiens ici !

Un rire me répondit, puis après deux ou trois loopings sous les branches, Timothée vint s'asseoir sur mon épaule.

Pour le repas, nous l'installâmes à califourchon sur une fougère. Constantin lui tendit la première fraise de la saison et Timothée mordit dedans, laissant couler le jus sur lui, sans le moindre souci de sa dignité. Tandis que je rangeais les restes du repas, mon elfe s'allongea au soleil, le visage à demi enfoui dans la mousse tiède. Je le caressai entre les ailes et je sentis sous mes doigts une douce vibration, un ronron de petit félin. Mais quelle drôle de bête ! L'après-midi inclinait à la torpeur et au laisser-aller. Je fermai les yeux un instant.

— Maman !

— Mmm ?

— Je trouve plus Timothée.

Je m'éveillai tout à fait. Quelle folie ! Nous avions laissé Timothée sans surveillance.

— Timothée !

Nous l'appelâmes dans la clairière, puis dans l'allée.

— C'est votre petit garçon que vous cherchez ? s'inquiéta un brave promeneur.

— N... non, c'est mon chien, bredouillai-je. Timothée, au pied !

Nous croisâmes une famille. Impossible de leur demander : «Avez-vous vu un elfe mal débarbouillé?» Nous repartîmes vers le sous-bois. Soudain, Constantin agrippa mon bras.

— Maman, dit-il à mi-voix.

Je m'immobilisai. Mon fils s'était accroupi. Je fis de même. Timothée voletait au soleil, presque transparent, comme s'il allait se dissoudre dans l'air. À quelques mètres de lui, se détachant à peine sur le bleu du ciel, bourdonnait tout le peuple des elfes, cheveux d'or et cheveux d'ange, corps enlacés, ailes mêlées. Ils dansaient. Et Timothée allait vers eux. Il allait passer de notre monde au sien. S'engloutir. S'effacer. Mourir. C'était si beau, ce trou dans notre ciel, que je restais là, sans pouvoir appeler, des larmes coulant sur mes joues. Timothée s'éloignait. Pourtant, une dernière fois, comme s'il ne nous avait pas tout à fait oubliés, il se retourna. Il leva la main pour un adieu hésitant.

— Timothée!

Constantin avait bondi. Il y eut un trouble dans l'air, comme une vague de chaleur remontant de la terre vers le ciel. Le peuple des elfes s'était évanoui et mon fils tenait Timothée entre ses mains serrées.

— Attention, tu l'étouffes, m'alarmai-je.

Le petit être était tout pâle.

— Mais maman, il glisse entre les doigts, il a pas de poids, paniqua Constantin.

Timothée avait encore vaguement une forme, mais il était presque impalpable.

— La boîte, la boîte, chuchotai-je en fouillant dans mon grand sac.

Vite, nous mîmes le peu qui restait de l'elfe dans la boîte en bois blanc et nous l'y enfermâmes. Notre retour sur Bordeaux fut silencieux. Le soleil couchant dessinait une frise d'or au sommet des pins, tandis que les troncs, déjà, plongeaient dans la nuit. J'avais un trou de lumière dans la tête, c'était à peine si je voyais la route.

— Est-ce qu'on regarde ? me demanda Constantin, quand nous fûmes chez nous.

J'ouvris la boîte et poussai un cri d'effroi. Timothée n'était plus qu'une bouillasse grise. À peine si l'on distinguait la traînée plus claire d'une aile, le noyau plus sombre de la tête.

— Il est mort, il est mort, sanglota Constantin.

Le Samu. Les urgences. Mais non. Du sang-froid.

— Arrête de pleurnicher, dis-je à mon fils. Allume une bougie. Va chercher des raisins secs.

Sur la moquette de ma chambre, je dessinai deux cercles au fusain et recouvris le plus petit d'un rond de feuille d'aluminium. Constantin colla la bougie au centre.

— Donne la boîte! ordonnai-je.

Je la retournai, tapai sur le fond, essayant de détacher la masse grise. En vain. Il fallait que j'attrape la chose pour la placer au-dessus du halo de la bougie. Je savais la douleur qu'il allait m'en coûter. Je me mordis les lèvres et j'attrapai ce qui n'était plus qu'une vapeur cotonneuse. Un froid terrible me mordit les mains, puis circula dans mes veines jusqu'à mon cœur. Je crus défaillir et lâchai prise. La buée se mit à crépiter au-dessus de la flamme. Mes doigts se couvrirent de cloques rouges et de vésicules brillantes.

— Je t'appelle, dit Constantin, pour que tu nous serves, que tu nous aides et que... et que. On t'aime, Timothée, reviens!

Comme je pleurais de douleur, le miracle se produisit une seconde fois. La buée s'épaissit, et Timothée en tira sa propre matière, un bras, une aile, la boule de la tête. La flamme qui le léchait jeta soudain une étincelle sur l'aile.

— Il va prendre feu! s'affola Constantin. Il faut le remettre dans sa boîte.

Il souffla sur la bougie et, sans réfléchir, il attrapa l'elfe à demi formé pour le remettre dans la boîte.

– Maman! hurla-t-il, terrifié par la douleur qui le traversait.

Mais il fit ce qu'il fallait faire et je refermai la boîte.

– Ça va passer, ça va passer, dis-je en serrant Constantin contre moi.

Le lendemain, lorsque j'ouvris la boîte, l'elfe était là. Il s'assit en grimaçant, comme quelqu'un qui a des courbatures. L'avions-nous sauvé? Lui avions-nous interdit de retourner chez lui?

Relevant la tête, Timothée nous aperçut et changea sa grimace en sourire. Un vrai sourire d'amitié, et nous ne l'avions pas volé.

11

Je ne laisserai plus dire que les elfes n'ont pas de sentiments sous prétexte qu'ils n'ont pas de cœur. Ce n'est pas cet organe battant dans notre poitrine qui nous rend bons ou généreux. Les elfes aiment à leur manière, sont bons à leur façon. En tout cas, ils valent bien mieux que certains respectables humains. Cela sans nommer personne.

Le principal revint au collège sur deux béquilles, et monsieur Logé-Dangerre s'empressa d'aller le rassurer au sujet de mon inspection : tout s'était très bien passé et je serais excellemment notée ! Comme il ne pouvait plus m'attaquer de front, monsieur le principal choisit une autre méthode pour me déstabiliser.

– J'ai deux heures de colle pour samedi, m'apprit Constantin.

— Oh non! Et notre sortie à Blaye? Quelle conn…
bêtise as-tu faite?

— Mais c'est pas de ma faute! geignit mon fils.

Règle générale: ce n'est jamais sa faute.

— Y a eu une bousculade dans le couloir, et puis
j'ai été poussé et j'ai poussé un petit, mais c'était
sans faire exprès, qu'après le petit il a dit que j'avais
poussé un grand exprès pour le faire tomber. Mais
non, en fait.

Autre règle générale: plus Constantin me donne
d'explications, moins je comprends.

— Et puis Bertrand était dans le couloir et il m'a
filé deux heures de colle et rien aux autres.

Le principal avait décidé de guetter mon fils et
de sanctionner la moindre incartade. Je sentis la
haine bouillonner dans mon cœur (preuve que cet
organe n'est pas automatiquement le siège de nobles
sentiments). La tentation de faire couic, couic risquait de devenir trop forte. Je pris la photo de classe
des cinquièmes 4 et je la jetai dans le vide-ordures.
Que les gremlins de madame Vandrette en fassent
des confettis! Mais j'allais bientôt éprouver une plus
forte envie de couic-couiquer quelqu'un.

— Allô, Madeleine?

Cette voix, à l'autre bout du fil! Pendant des semaines, je l'avais espérée sans me l'avouer. Mais plus maintenant.

– Tiens, un revenant, dis-je sèchement.

– Ne raccroche pas, Madeleine. J'ai le droit de te parler et j'ai le droit de voir mon enfant.

– Que des droits, quoi! Et tes devoirs, tu t'assois dessus?

– Écoute, ça va comme ça, la morale. Tu n'as jamais voulu m'écouter. Tu m'as foutu à la porte...

– Ce n'est pas vrai! me révoltai-je. Tu es parti.

– Parce que tu me faisais une vie d'enfer avec tes scènes de jalousie.

Il y eut un silence.

– Allô? Tu es toujours là?

– Oui, murmurai-je, battue d'avance. Alors, c'est quoi, tes « droits »?

José avait droit à un divorce honorable, droit à refaire sa vie, droit à voir son fils le week-end, droit à marcher la tête haute et à ne pas changer de trottoir quand il me croisait.

– Tu vas te remarier, j'imagine? demandai-je.

– C'est notre souhait.

José avait aussi le droit de faire des demi-frères et des demi-sœurs à Constantin. Une horrible pensée me vint à l'esprit : couic, couic ? Immédiatement, je l'en délogeai.

— Où habites-tu ?

— Je viens d'emménager au 13, rue Abbé-de-l'Épée. C'est à côté.

Sur le moment, je me contentai de noter l'adresse avec cette impression qu'on a parfois de vivre quelque chose qu'on a déjà vécu. 13, rue Abbé-de-l'Épée.

— Mais maman ! C'est la maison hantée ! s'écria Constantin.

Mon fils n'avait pas manifesté d'émotion quand je lui avais parlé de la réapparition de son père. Mais l'énoncé de l'adresse le fit bondir jusqu'à sa chambre. Il revint en brandissant *Vaudou, le magazine du paranormal*. Effectivement, le fantôme qui était apparu à plusieurs reprises à madame Lafargue, médium, avait ses quartiers au 13, rue Abbé-de-l'Épée. Cette histoire fit beaucoup rire Timothée.

— Ah, ah, ah, c'est le mari qui est fantôme, ah, ah !

Timothée est charmant quand il rit de bon cœur, mais là, il m'énervait. Je le renversai d'une pichenette.

— Tu ne crois pas aux fantômes, peut-être ?

Ma question provoqua un nouvel accès de fou rire.

– Eh, Madeleine, me dit-il en reprenant son souffle, est-ce que tu sais pourquoi les fantômes courent à la fenêtre quand il y a de l'orage?... C'est pour être sur la photo! Ah, ah, ah!

Nous nous regardâmes, incertains, mon fils et moi.

– Et... et tu sais le comble pour un fantôme? ajouta Timothée. C'est de se faire câbler pour avoir plus de chaînes. Ah, ah, ah!

Je compris enfin les raisons de son hilarité. Les fantômes sont les imbéciles du monde astral. Les elfes se racontent des histoires de fantômes comme on se raconte des histoires de Toto dans les cours de récré. Mais tout cela ne me disait pas si le 13, rue Abbé-de-l'Épée était bien hanté.

Dès que j'eus un moment de loisir, je remontai la rue Turenne pour aller jeter un œil sur la nouvelle maison de José. Comme bien d'autres demeures à Bordeaux, elle avait deux étages, de jolis mascarons au-dessus des fenêtres et des balcons en fer forgé. Les noms étaient inscrits sur la porte: José Bouquet et Martine Aymedieu. Je traversai la rue et entrai dans un hôtel d'aspect somnolent, baptisé Au Bon Abbé.

– Je cherche madame Lafargue, dis-je à la jeune réceptionniste. Elle est bien au 13?

— Elle était, me répliqua la demoiselle. Ça fait plusieurs mois qu'elle est morte.

— Oh! Et il n'y a pas eu de problème pour trouver d'autres locataires?

Il me sembla que la réceptionniste allait devenir rogue.

— Je sais pas. Je crois pas. De toute façon, il n'y a plus de fantôme. Et puis d'abord, il n'y en a jamais eu.

Je m'éloignai pensivement de la rue Abbé-de-l'Épée. Donc, mon mari avait bien pris la succession de madame Lafargue et il souhaitait que mon fils passe chez lui la nuit du samedi au dimanche.

— Je vais prendre mon appareil photo! s'exclama mon fils. J'enverrai la photo du fantôme à *Vaudou, le magazine du paranormal.*

J'étais assez contrariée. Je ne m'opposais pas à ce que Constantin retrouve son père. Mais je me serais dispensée du fantôme de madame Lafargue.

Après avoir débité les meilleures blagues sur les spectres, Timothée avait tout de même consenti à nous en parler plus sérieusement. Les fantômes vivent dans le monde astral, au même titre que les Élémentals. Pas plus que les elfes, ils ne sont visibles aux yeux des hommes. Il arrive toutefois qu'ils passent du monde astral au monde physique.

– Quand on les appelle ? questionna Constantin.

En réalité, personne n'appelle les fantômes, qui sont des invités plutôt désagréables. Mais certaines personnes – celles qu'on désigne sous le nom de médium – sont des pièges à fantômes ou des charmeurs de revenants. Sans le vouloir, elles leur facilitent le passage.

Une chose surtout me tourmentait :

– Est-ce que les fantômes sont des morts qui n'arrivent pas à trouver le repos éternel ?

– Parce qu'ils ont trop fait couic, couic de leur vivant ? me suggéra Timothée, avec un clin d'œil.

D'après Timothée, le fantôme de la rue Abbé-de-l'Épée n'était sans doute pas un grand criminel, mais plutôt un de ces hommes à l'âme épaisse, attachés à ce monde matériel par toutes les fibres de leur corps, et qui regrettent le Quinté + du dimanche.

Mon mari – puisqu'il l'était encore – sonna à la porte de la rue Rosa-Bonheur, ce samedi-là, à 19 heures.

– Alors, t'es dans une maison hantée ? l'accueillit Constantin.

José se mit à rire, content de l'entrée en matière.

– Eh bien, oui! Il y a une tache de sang dans le salon, des placards qui s'ouvrent tout seuls et un bruit de pas dans l'escalier. Ça te va comme programme? Mais on pourrait aussi aller voir *Mission impossible* au ciné?

Je pris José à part dans la cuisine.

– Elle est hantée ou non, cette maison?

– C'est toi qui me poses ce genre de question! Tu ne crois ni à Dieu ni à Diable. Tu ne vas pas me dire que tu crois aux fantômes...

Je n'allais pas lui avouer tout à trac: «Depuis que tu m'as quittée, j'ai capturé un elfe, chassé des gremlins, fait couic, couic avec des ciseaux et entrevu le monde astral dans la forêt d'Hourtin.» Il l'aurait répété à son avocat pour qu'on me retire la garde de Constantin.

– Je ne crois pas aux fantômes, dis-je fermement. Mais il y a parfois des voisins malintentionnés, des détraqués...

– Rien de tout ça, me coupa José. Et si c'est le sens de ton inquisition, Martine et moi, nous sommes en parfaite santé mentale. D'accord?

C'est ainsi que Constantin me quitta pour aller dormir dans cette maison étrangère. Il ne paraissait pas autrement ému lorsqu'il m'embrassa. Mais le cœur de Constantin est bien cadenassé.

— Ça ira? dis-je tout bas.

— Ouais. J'ai mon appareil photo.

Par une curieuse coïncidence, Jean-François m'appela une demi-heure plus tard. Avait-il deviné que j'étais libre?

— On peut parler deux minutes? me demanda-t-il. On se voit tous les jours mais… c'est comme si on ne se voyait pas.

J'entendais dans le combiné son souffle malheureux. C'est dur d'aimer sans être aimé. Alors, parce que j'étais seule, parce que Constantin s'en était allé:

— Tu veux passer?

Jean-François avait à peine fait deux pas dans mon salon qu'il s'exclama:

— Tiens, où est le petit elfe? Tu ne l'as pas cassé? Il avait l'air inquiet.

— Non, non, bredouillai-je. Je… j'ai dû le ranger. Il fait peur à Beetlejuice.

L'explication amusa beaucoup J.-F.

— Je ne sais pas pourquoi, me confia-t-il, mais ce petit elfe me poursuit. Je l'ai même vu en rêve. C'est la chose qui te ressemble le plus, ici.

J'avais l'impression de jouer à «Tu refroidis, tu te réchauffes, tu brûles…»

— Et où tu le mets quand il n'est pas sur la cheminée? insista Jean-François.

— Dans une boîte. Il était vendu avec sa boîte.

Mon cœur était aux abois. Que signifiait cette traque?

— J'aimerais bien le revoir.

Jean-François baissa les yeux, embarrassé, en attendant ma réponse. La boîte en bois blanc était dans ma chambre. Jean-François m'y suivit et se cogna dans ma psyché. Il était devenu tout rouge, essayant de ne pas regarder mon lit. Je lui tendis la boîte.

— Oh, c'est joli. Un peu comme un plumier.

Ses grosses mains manipulaient maladroitement la cage de mon elfe. Il n'allait pas la laisser tomber, non? Il repoussa les fermoirs. D'émotion, je m'assis sur le lit. Que voit-il, mon Dieu? Est-ce que le mystère va enfin céder?

— Tu vas rire, Madeleine. J'ai rêvé qu'il était vivant!

Jean-François riait. Il semblait soulagé.

— Et dans mon rêve, il me détestait, ah, ah! Il a pourtant l'air bien innocent, ce petit elfe.

Il le plaça en pleine lumière et son rire s'éteignit. Innocent? Jamais Timothée n'avait eu l'air plus méchant que dans cette armure de cristal. Ses yeux avaient accroché un reflet vert et son sourire pointait vers le plafond, plein d'une ironie malveillante.

– Hmm, hmm, fit Jean-François, se raclant la gorge. Bon. On va le ranger dans sa boî-boîte…

Il reposa la boîte sur la table de chevet puis s'assit à côté de moi. Il avait une déclaration à me faire, c'était visible.

– Je sais que tu traverses une période difficile, Madeleine. Tu viens de te séparer de ton mari. Je ne veux pas te bousculer. Simplement, si tu as besoin de quelqu'un, eh bien, je suis là. Pour trouver un avocat ou n'importe, hein?

– Merci, dis-je, les yeux posés sur la boîte.

Est-ce que Timothée nous entendait? Jean-François me prit la main. Est-ce que Timothée nous voyait? Je me levai d'un bond.

– Excuse-moi, il faut que je range Timothée.

– Pardon?

Je m'étais emparée de la boîte.

– «Timothée»? répéta J.-F., éberlué.

– C'est son nom, dis-je. C'est son nom et c'est mon elfe! Il n'a que vingt-deux centimètres. Et une paire d'ailes. Encore que les ailes, ça n'est pas trop gênant. Il y en a qui ont un grand nez, on ne leur reproche pas. D'ailleurs, ses ailes sont très jolies. Mais vingt-deux centimètres, ça pose un problème.

Je disjoncte, pensai-je. Ça y est. Je disjoncte. Jean-François me regardait, épouvanté.

— Il a pris un demi-centimètre, depuis que je le connais, ajoutai-je, incapable de me maîtriser. Donc, ça fait vingt-deux centimètres et demi. C'est une bonne taille pour un elfe adulte. Mais maintenant, il ne grandira plus.

Jean-François se mit à rire, un peu hystérique.

— Mon Dieu, que tu m'as fait peur ! Pour un peu, je marchais. Ah, ah ! Mais dis donc, quelle actrice !

Je souris, au bord des larmes. J'étais enfermée dans mon secret. Seuls, Constantin et moi, moi et Constantin…

— Allons au cinéma, murmurai-je.

12

Lorsque je revins du cinéma, je m'aperçus, en rallumant mon téléphone, que j'avais un message sur mon répondeur. Ça doit être maman qui m'invite pour demain, pensai-je en ôtant mon manteau. Je n'avais pas de raison de refuser, puisque Constantin allait être occupé. Je me déchaussai en grimaçant. Ouille, la lombalgie qui me reprenait.

– Ces fauteuils de cinéma, grommelai-je.

Enfin, je me décidai à écouter le message.

– Maman ? chuchota une voix. C'est Constantin. Y a un fantôme dans la maison. Papa et Martine dorment. J'ose pas les réveiller. M'man, j'ai peur.

En trente secondes, j'étais rhabillée. Je dévalai mes escaliers. Au 13, rue Abbé-de-l'Épée, tout était noir et silencieux. Je sonnai. Des minutes qui semblent des heures. Je sonne. Je sonne.

— Mais merde, ça vient?

Je sanglote presque. La police? Les pompiers? Qui appelle-t-on dans ces cas-là? *Vaudou, le magazine du paranormal?*

— T'es folle ou quoi?

La porte s'était ouverte sur José en pyjama.

— Où… où… où est Constantin? hoquetai-je.

— Mais dans sa chambre. Il dort. Et tu nous emmerdes. Il est une heure du matin.

— Il m'a appelée. Il avait peur.

— Qui? Constantin? Mais il a passé une très bonne soirée. Au cinéma. Et il est allé se coucher, tu entends ce que je te dis? Il est au lit! Fais-en autant.

Il allait me claquer la porte au nez. Je la repoussai et j'entrai.

— Je veux voir Constantin.

— Elle est folle, dit José pour lui-même.

— Constantin! appelai-je.

José m'attrapa par le bras et me secoua.

— Mais tais-toi! Je savais que tu étais une mère possessive, mais à ce point-là, ça se soigne…

— Il m'a téléphoné, répétai-je, plus hésitante. Il a vu un fantôme.

— Ben voyons, fit José entre ses dents. Et moi, je suis le Croquemitaine.

Soudain, je poussai un cri de terreur. Une forme blanche descendait l'escalier.

— Qu'est-ce que c'est, chéri ? fit la forme.

Vue de plus près, c'était une dame en chemise de nuit.

— C'est parti pour les présentations à une heure et demie, essaya de plaisanter José. Alors, Martine, voilà ma femme, enfin, Madeleine. Et Madeleine, voilà Martine Aymedieu.

La dame en chemise de nuit m'examina en silence. Cela m'était bien égal : toute la soirée, Jean-François m'avait répété que j'étais jolie.

— Je veux voir Constantin, me butai-je.

— Bon. C'est un caprice, expliqua José à sa copine. Il vaut mieux lui céder ou elle fait des scènes.

Il me montra l'escalier.

— C'est au premier étage. Première porte à droite. Ne te jette pas sur lui. Tu pourrais l'effrayer.

Je montai sur la pointe des pieds, tous mes sens aux aguets. Le couloir me parut bien sombre. Le bois d'un meuble craqua tout près de moi.

— Constantin ? murmurai-je.

Il dormait.

Je n'eus d'explication que le dimanche soir, lorsque mon fils rentra rue Rosa-Bonheur.

— Ben, ouais, vers minuit, j'ai entendu un bruit, me raconta Constantin. On aurait dit un chuchotement. J'ai cru que c'était papa. Alors, j'ai dit : « Papa, t'es là ? » Mais ça a pas répondu.

Je frissonnai. Dire que j'avais laissé mon fils seul aux prises avec… avec quoi ?

— Et après ?

— Ben, j'ai entendu une porte qui se fermait ou qui s'ouvrait. Alors, là, j'ai carrément appelé papa. Mais il devait dormir. J'ai allumé une lampe et je me suis levé pour aller voir dans le couloir.

— Tu es fou !

— Ben, Timothée dit que c'est des imbéciles, les fantômes. J'ai allumé dans le couloir, et alors, la porte de ma chambre s'est refermée derrière moi. Mais pas comme si y avait un courant d'air. Non, elle s'est refermée doucement, avec la poignée qui se tourne toute seule.

— Mon Dieu !

Constantin avait pris peur et il m'avait téléphoné. Puis, retrouvant courage, il était retourné dans sa chambre, s'était recouché et finalement rendormi.

— Tu en as parlé à ton père ? demandai-je.

— Oh non, il se serait payé ma tête !

Du coup, c'était moi qui passais pour une cinglée.

— Même Jean-François se pose des questions à mon sujet, dis-je, ce soir-là, à Timothée.

— Tu sais ce que j'en pense de Jean-François, me répliqua mon elfe, assis sur un verre à dents retourné.

— Et qu'est-ce qu'en pense monsieur?

— Caca boudin.

— Sot personnage, murmurai-je. Fais attention, tu vas glisser dans le lavabo.

Je commençai mon démaquillage, en ôtant le mascara de mes cils. Timothée suivait toujours ces opérations avec le plus grand intérêt. Les elfettes ne se maquillent pas.

— Crois-tu que Constantin a vraiment entendu quelque chose? demandai-je.

— Oh oui! Le coup du chuchotement et la porte qui se ferme toute seule, c'est des classiques chez les fantômes. Et tu connais la différence entre un fantôme et un autobus? C'est…

— Tim, je te parle de choses sérieuses. Et puis, arrête de te balancer. Je t'assure que ça va mal se terminer.

J'étalai le lait démaquillant sur mes joues et j'en mis une goutte sur le nez de Timothée.

— Si Constantin ne te voyait pas comme je te

vois, dis-je, parfois, je penserais que je suis folle. Heureusement, nous sommes deux.

— C'est même parce que Constantin me voit que tu me vois aussi, répliqua l'elfe.

— Comment ça ?

— C'est lui qui m'a appelé. Il est médium, ton fils.

Je me regardai dans le miroir, les yeux agrandis par la stupéfaction. Médium ! Mais bien sûr, Constantin était médium, et monsieur Tibère l'avait tout de suite deviné.

— Alors, alors, bégayai-je, le fantôme…

— Oh, il va s'accrocher à Constantin, m'assura Timothée.

— Mais Constantin doit retourner dormir chez son père ! Chaque fois, le fantôme va le tourmenter.

— À ce propos, tu sais ce que dit un fantôme, quand il met le pied dans une bouse de vache ?

Je n'eus pas la réponse, mais j'entendis très nettement ce que dit un elfe quand il s'étale dans un lavabo.

— Mille putains du Diable !

Jean-François m'avait trouvé une avocate pour m'aider dans la procédure de divorce. C'était une dame très chic, avec des bagues qui faisaient clic,

clic quand elle croisait les mains, des rivières de faux diamants qui faisaient schlouff, schlouff quand elle se penchait, et des boucles d'oreilles qui faisaient toc, toc quand elle secouait la tête.

— Donc, me dit-elle, votre mari, ayant déserté le domicile conjugal depuis quatre mois et demi, vit désormais avec une «amie», mademoiselle Martine Aymedieu?

Schlouff, schlouff, approuvèrent les colliers, tandis que l'avocate relisait ses notes à voix haute.

— Et ce qui a amené la séparation d'avec votre mari, c'est la découverte que vous avez faite de sa liaison avec sa secrétaire, mademoiselle Aymedieu?

Clic, clic, soulignèrent les bagues.

— C'est-à-dire que j'ai reçu une lettre m'apprenant que j'étais cocue, heu, trompée, précisai-je. Une lettre anonyme, mais qui contenait de tels détails qu'elle n'a pu être écrite que par cette dame Aymedieu.

— Et vous avez cette lettre?

— Ah... non. Je l'ai jetée. J'étais si humiliée que...

Toc, toc, grondèrent les boucles d'oreilles: «Ma pauvre petite, c'était une preuve à charge.»

— Si j'ai bien compris, vous ne souhaitez pas que votre mari ait le droit de visite? m'interrogea l'avocate.

— Il peut voir Constantin! Mais je ne veux pas que mon fils aille dormir chez lui.

— Vous estimez que c'est dangereux pour lui?

— C'est-à-dire… Oui.

— Qu'est-ce qui est dangereux?

— Le fantô… La nouvelle compagne de mon mari!

Ce fut un vrai tintamarre: clic, schlouff, toc, toc.

— Il va falloir formuler les choses autrement, me dit l'avocate. Vous pourriez paraître jalouse plutôt que soucieuse du bien de votre enfant.

Bref, ce n'était pas gagné.

— Ah oui, mais moi, je ne retourne pas dans la maison hantée! s'écria Constantin, quand je lui fis part d'une seconde invitation de son père.

Les fantômes ne l'amusaient plus du tout, avec ou sans appareil photo.

— Alors, il faut que tu avoues à ton père que tu as peur, répliquai-je.

— Ah non! L'aut' bonne femme, elle va dire que gna gna gna.

— Constantin, ar-ti-cu-le et raisonne, murmurai-je, en fermant les yeux de fatigue.

Après avoir étudié la situation, je n'y trouvai finalement qu'une issue:

— Tim, tu vas accompagner Constantin rue Abbé-de-l'Épée, samedi prochain.

— Eh mais non! se révolta Timothée. J'ai peur des fantômes, moi!

Ça, c'est typique des elfes. Dans le dos des gens, ils n'ont peur de rien. Mais s'ils doivent les affronter, il n'y a plus personne.

— T'as dit que c'est des idiots, lui rappela mon fils.

— J'ai peur des idiots, répliqua Timothée aussi sec.

Tous mes efforts pour le convaincre furent vains, et il finit par m'avouer la vérité. La plupart des fantômes sont de braves types un peu paumés, en quelque sorte les SDF du monde astral. Mais quelques-uns sont de grands criminels que l'au-delà rejette. Revenant sur terre, ils se nourrissent des vivants, leur sucent la moelle et le sang, leur squattent le cœur et le cerveau dans l'espoir d'échapper au néant. La victime qu'ils choisissent n'est bientôt qu'une coque creuse où résonne le vide astral.

— Et le fantôme chez papa, c'est genre quoi? s'informa Constantin.

Timothée ne pouvait pas se prononcer.

— Eh bien, tu vas te renseigner, dis-je à Timothée.

L'elfe nous fit la tête toute la soirée puis, au

moment de regagner sa boîte, il consentit à nous donner quelques conseils.

— En plus du pentacle de protection, dit-il à Constantin, il faut que tu portes une médaille de saint Benoît.

Je notai sur un papier : *« médaille de saint Benoît »*.

— Pour chasser les êtres du bas astral, reprit Timothée, il faut allumer une bougie violette. Le violet les repousse.

J'ajoutai sur mon papier : *« bougie violette »*.

— Et les clous, les lames de rasoir ? suggéra Constantin.

— Pas très efficace avec les fantômes, répondit Timothée. Il vaut mieux poser à terre des billes d'agate, celles qui ressemblent à des yeux de chat. Elles ont des reflets qui dispersent les spectres.

Sur ma liste de courses, j'écrivis : *« yeux de chat »*, puis notai deux autres articles qui me manquaient. Il me restait le vendredi pour faire ces achats en sortant du CDI.

Le lendemain, vers 16 heures, Jean-François vint frapper à la porte de mon bureau.

— Tu es prête ? me demanda-t-il en rougissant.

Plus nous nous fréquentions, plus il devenait timide.

– Oui. Une minute. J'ai posé une liste de courses, quelque part. Je ne remets plus la main dessus.

Je soulevai fébrilement une pile de livres, j'en fis tomber deux et les ramassai en maugréant.

– Ce n'est pas ça ?

Je me retournai. Jean-François me tendait un bout de papier : « *Médaille de saint Benoît, bougie violette, yeux de chat, gousses d'ail, fraises Haribo.* »

– Ah, merci !

Jean-François me jeta un regard inquiet. Il avait lu.

– C'est fou ce que les enfants vous font acheter, dis-je dans l'espoir de le tranquilliser.

13

Le samedi, je passai reprendre mon fils au collège, où il purgeait une nouvelle peine pour une sombre histoire de gratin dauphinois renversé à la cantine. Constantin avait été le seul puni, et par le principal naturellement.

– Tu l'as? me demanda mon fils, en s'asseyant sur la banquette arrière de la voiture.

– Dans ton sac de sport. Mais il n'est pas content.

Nous emmenions Timothée contre son gré au 13, rue Abbé-de-l'Épée.

– Comment ça? Tu viens installer ton fils dans sa chambre? répéta José, après m'avoir écoutée.

– Eh bien, oui, dis-je, agacée. Je range ses vêtements dans la commode, je sors sa brosse à dents et je mets son elf... ours sur l'oreiller.

– Mais enfin, Madeleine, ton fils a douze ans. Douze ans!

— Et il a encore besoin de son ours pour dormir. On ne va pas en faire une montagne…

J'avais écarté José de mon chemin et je montai l'escalier. Constantin me suivait, la tête basse. Une fois dans la chambre, il me saisit la main.

— M'man, je veux que tu restes.

— Timothée te défendra, mon chéri. Ton père va me passer par la fenêtre si je ne m'en vais pas par la porte.

Du sac de sport, je sortis la bougie violette.

— Tu as ta médaille? demandai-je à mon fils.

— Ouais. File-moi les billes.

Restait à tirer Timothée de sa boîte.

— Ne boude pas, dis-je en le posant sur l'oreiller. De toute façon, s'il y a un problème, Constantin me donne l'alerte avec la lampe de poche.

— C'est comment SOS en morse? me demanda mon fils.

— Ne te complique pas, mon chéri. Trois appels, ça suffira.

Je n'avais jamais autant appelé Constantin «mon chéri» que ce soir-là. Soudain, la porte s'ouvrit:

— Alors, ça y est? Bébé est installé? ricana José.

Un grand frisson me secoua. Timothée était assis sur l'oreiller! Je fermai les yeux d'angoisse.

– Ah, c'est ça, l'ours ? fit José.

Je rouvris les yeux. Sur l'oreiller, il y avait un elfe de plastique, une sorte de Peter Pan de Monoprix. Mon fils déplia les jambes articulées et coucha la poupée.

– Pas de blème, m'man. Tu peux t'en aller.

Mais au lieu de retourner rue Rosa-Bonheur, je me rendis en face, à l'hôtel Au Bon Abbé.

– Je voudrais une chambre au premier, dis-je à la réceptionniste, qui ne parut pas me reconnaître.

– 111.

La nuit serait blanche. Vraiment blanche, car un brouillard drapait toute la ville d'un linceul. Je m'approchai de la fenêtre. La chambre de Constantin était presque en face. Je sortis de mon sac la Thermos de café et je m'assis dans un fauteuil, le nez au ras de la fenêtre. Jusqu'à minuit, il ne se passa rien, et je luttais contre une forte envie de dormir. J'en étais à ma cinquième tasse de café quand la fenêtre de Constantin s'éclaira brièvement. Comme un éclair déchirant les ténèbres. Puis, plus rien. Je m'étais relevée.

– Constantin, mon chéri, murmurai-je avec la ferveur de quelqu'un qui prie, si ça ne va pas, appelle-moi encore deux fois.

Encore un éclair. Et un autre. J'attrapai mon blouson. Soit mon fils avait la force de descendre l'escalier et de m'ouvrir, soit j'allais devoir sonner et affronter José.

— M'man?

Le visage de Constantin m'apparut dans l'entre-bâillement de la porte.

— Chéri!

J'entrai et le serrai dans mes bras.

— Eh, tu m'étouffes!

C'était Timothée qui protestait. Il était accroché à l'épaule de mon fils comme un ouistiti à son maître.

— Il est mort de trouille, m'expliqua Constantin.

Ses ailes étaient ternes et il tremblait de tout son corps.

— Alors, dis-je, c'est quoi, la différence entre un fantôme et un autobus?

Timothée gémit et se blottit contre moi.

— Que s'est-il passé? chuchotai-je.

Mon fils me raconta des choses assez imprécises, des coups dans le mur, des craquements sous son lit.

— On se croirait dans une tempête, me dit-il pour conclure.

Nous remontâmes l'escalier aussi légèrement que si nous jouions aux rois du silence. Je faillis me rompre le cou dans la chambre en marchant sur une des billes d'agate.

— Ça ne sert à rien qu'à s'étaler, tes trucs anti-spectres, houspillai-je Timothée.

Tout était calme. Je m'assis au bord du lit. Constantin n'avait-il pas exagéré quelque trottine-ment de souris? Soudain, j'entendis un battement d'ailes.

— Oui? Qui est là? dis-je à mi-voix.

Une petite main s'agrippa à moi et je faillis hur-ler. Mais c'était cet imbécile de Timothée.

— C'est toi qui viens de voler?

— Nnnnon.

Alors, je vis le double-rideau qui enflait comme sous la poussée du vent. Puis il claqua, telle une voilure, et se rabattit.

— Un cou… ou… rant d'air, chevrotai-je.

Un gémissement me répondit, une plainte presque animale, suivie d'un sanglot bien humain.

— Ça, ça, ça, bégaya Timothée, c'est un fantôme.

— Qui est là? répétai-je.

Constantin était collé à moi, et je pris courage à sentir contre moi deux enfants à protéger.

— Ça ne sert à rien de vous cacher, ajoutai-je par bravade.

Un ricanement rouillé me répondit qui se brisa bientôt en un nouveau sanglot. Le double-rideau se souleva une deuxième fois et sembla se détacher. Je compris mon erreur quand je vis, à la lumière de la bougie violette, une ombre noire sur le mur d'en face. Quelque chose ou quelqu'un s'était éloigné de la fenêtre. Je repensai à l'article paru dans *Vaudou*. La forme loqueteuse et grisâtre de la photo avait pris un peu de consistance. C'était une sorte de pénitent noir, le capuchon si bien rabattu qu'on ne voyait pas son visage. Mais en avait-il un? Au bout des manches n'apparaissait aucune main… Des sanglots secouaient ses épaules affaissées.

— Demande-lui ce qu'il a, souffla une voix dans mon cou.

Timothée me poussait au dialogue. Était-ce le seul moyen d'apaiser le revenant?

— Que vous arrive-t-il? demandai-je, en mettant dans mon intonation autant de douceur que de respect.

— Mon Dieu, pitié! fit une voix profonde. Pitié, mon Dieu! Secourez-moi! Depuis trois cents ans, je n'ai pas trouvé un seul jour de repos!

Timothée chuchota à nouveau au creux de mon oreille:

– Il noie le poisson. Fais-le répondre.

– Qu'avez-vous à vous reprocher? Quel mal avez-vous fait? insistai-je avec une brusquerie involontaire.

Le fantôme se mit à se balancer de droite à gauche en faisant des «ho ho ho» lamentables.

– De quoi êtes-vous coupable? criai-je, exaspérée.

Toujours en se balançant, le fantôme finit par avouer:

– J'ai abandonné ma femme et mon enfant. Elle est morte de chagrin et lui est mort de faim.

Je haussai les épaules, ce qui eut pour effet de décrocher Timothée.

– Mon pauvre monsieur, vous dramatisez. Votre femme a sûrement eu le cafard pendant quelque temps, et puis elle s'est remariée. Quant à votre fils, il s'est fait une bonne situation.

Le revenant cessa de s'agiter.

– Vous croyez? me demanda-t-il, étonné.

– Écoutez, si tous les maris qui partent avec leur secrétaire devaient, après leur mort, hanter leur chambre à coucher, on ne pourrait plus louer un seul appartement!

– Vous croyez? Vous croyez? radotait le pauvre fantôme.

La lune qui venait de percer le brouillard noya de sa douceur le tas de loques en face de moi.

— Allez, rentrez chez vous, murmurai-je. Allez en paix.

Un chuchotement me parvint qui était une sorte d'acquiescement indistinct.

— Allez en paix, répétai-je.

«La paix, la paix, la paix», redirent après moi mille petites voix. L'instant d'après, nous n'étions plus que trois, Timothée, Constantin et moi.

— Eh bien, toi, s'écria l'elfe, tu as le chic pour parler aux fantômes!

Je me relevai, assez contente de moi.

— Bon, mes chéris, il est temps de se mettre au lit.

Je les bordai tous deux et retournai finir ma nuit à l'hôtel Au Bon Abbé.

Le dimanche soir, Constantin rentra rue Rosa-Bonheur, avec plein de choses à me raconter. Il était allé au cirque avec son père sur l'esplanade des Quinconces, il avait mangé au McDonald's avec son père, il avait fait un footing au parc Bordelais avec son père. Il en avait plein la bouche de «papa ci» «papa ça».

– Et Martine? m'étonnai-je. Elle n'était pas avec vous?

– Oh ben… non. Parce qu'elle a roulé sur une des billes dans ma chambre et elle s'est fait hypermal aux fesses.

Comme dirait mon fils: c'est pas de ma faute! Dans la vie, on regarde où on met les pieds. Et quand on écrit une lettre, on a le courage de la signer.

14

Le fantôme ne se présenta plus jamais au 13, rue Abbé-de-l'Épée (au grand dam de *Vaudou, le magazine du paranormal*) et mon fils accepta de retourner chez son père un week-end sur deux (à la grande satisfaction de mon avocate).

Je mentirais en prétendant que je ne souffris pas de cet arrangement. Les premiers dimanches sans Constantin me parurent interminables. Je croyais de mon devoir de rendre visite à maman, et ma sœur trouvait toujours quelque consolation à m'offrir, du style : «Pour un garçon, un père, ça compte plus qu'une mère.»

Les dimanches sans Constantin, il pleuvait toujours. Ce dimanche-là, je me forçai à sortir pour acheter ma baguette. Je revins par la rue Sainte-Germaine, croquant le croûton sous une lassante petite pluie. Rue Ernest-Renan, je fis une rencontre inattendue. Il était là, sur le trottoir, au milieu de cartons boueux, tout près d'un chariot de super-marché à moitié défoncé. Sans doute un clochard l'avait-il ramassé dans la poubelle, puis abandonné dans la rue ? Il était maculé, exténué, déchiré. Mais c'était lui. Entre mille, je l'aurais reconnu. C'était le cabas de madame Vandrette. Je poursuivis ma route, en réprimant un frisson. Au tournant de la rue Rosa-Bonheur, je ralentis le pas. J'allais retrouver le confort de mon appartement, la tiédeur du salon, le doux éclairage de la chambre. Topette et Lansque-net étaient-ils encore dans le cabas ? Livrés au froid, à la pluie... Et Flutiaux, et Robi Petit-Pied ?

— Tu es folle ? me demanda Timothée quand je posai le cabas devant lui.

— Oui, dis-je en souriant.

Je me mis à nettoyer le sac qui était apparemment vide.

— Tu sais qu'ils sont toujours là ?

Je ne répondis rien. Il y avait un petit point de couture à faire sur le côté. Je le fis.

— Tu es folle ? répéta Timothée avec une drôle de voix.

— Oui ! criai-je, un peu agacée.

Le cabas était comme neuf. Je regardai mon elfe. Le vert de ses yeux était devenu fluide, comme si... comme si des larmes... J'ouvris le placard où je range mes valises et je mis par-dessus le cabas vert bouteille.

Jean-François apprit que mes dimanches étaient parfois «libres» et il me proposa de venir avec lui, dans sa maison de campagne, du côté de Libourne.

— Tu ne t'es pas trop ennuyée? me demanda-t-il, sur le chemin du retour.

— Tu as une jolie maison, répondis-je. Et la vie des pommiers a des aspects éducatifs dont Constantin pourrait profiter.

— Tu te paies ma tête, constata Jean-François, avec son sourire désabusé.

Devant ma maison, rue Rosa-Bonheur, il ajouta ces quelques mots :

— Madeleine, l'air est magique autour de toi. Ça ne s'explique pas. Une fois qu'on a respiré cet air, on sait qu'on ne pourra plus s'en passer.

Par crainte de mes moqueries, il dit tout bas :

— Ou on en mourra.

Une autre scène m'attendait chez moi. Timothée était furieux d'avoir passé son dimanche dans la boîte.

— Tout ça pour cette andouille de prof déprimé! ragea-t-il.

Il me fatigua tellement avec ses reproches que j'en devins désagréable.

— Timothée, tu es jeune, tu es beau, tu es séduisant. Tu as tout pour toi. Il ne te manque que cent cinquante centimètres pour faire la loi chez moi. Alors, je suis désolée, mais si je dois choisir entre cette andouille de prof déprimé et toi, je choisis l'andouille.

Je regrettai aussitôt mes paroles.

— Pardonne-moi, Tim. Tu sais bien que je t'aime. Mais la vie d'une documentaliste est parfois trop compliquée.

Très gentiment, J.-F. m'avait attribué une chambre au premier étage de sa maison libournaise. Elle donnait sur les pommiers, mais le chauffage n'y chauffait guère, les stores ne se relevaient plus qu'à demi, l'ampoule au plafond clignotait péniblement. La maison de Jean-François sentait un peu l'abandon. À sa seconde invitation, je mis dans le cabas vert ma trousse de maquillage et la boîte en bois blanc. Timothée avait demandé à emmener ses copains avec lui à la campagne. À son âge, c'est bien normal. Jean-François abaissa un regard étonné sur l'horrible cabas.

– Un souvenir de famille, dis-je.

Jean-François secoua la tête pour me signifier qu'il n'avait exigé aucune explication. Une fois dans «ma» chambre libournaise, je libérai Timothée.

– Alors, bébé, ça te plaît ici?

– Faut aimer les ruines. Il n'y a pas de chien?

– Non, Tim. Tu peux aller jouer. Mais plutôt avec les gremlins. Je suis sûre que Topette a une mauvaise influence sur toi.

Je me retournai et sursautai. Jean-François était appuyé au chambranle de la porte, l'air mélancolique.

– Tu pourrais frapper avant d'entrer, dis-je.

– J'ai frappé. Tu n'entends pas…

Ses yeux s'étaient posés sur l'elfe de verre. Il fit un effort pour s'en détacher et me sourire.

– Je vais m'habituer, se raisonna-t-il. C'est une question d'habitude.

Je passai la nuit du samedi au dimanche dans une chambre glaciale. Au matin, Jean-François, après avoir longuement frappé à la porte, entra pour me faire la surprise d'un petit déjeuner au lit. Mais il fut bien plus surpris que moi.

— Il fait chaud, ici!

Il régnait en effet une tiédeur agréable dans ma chambre, débarrassée de toute humidité. Je me redressai et allumai la lampe.

— Tiens, elle ne clignote plus, remarqua Jean-François.

Le chauffage marchait, le store se releva sans difficulté.

— Mais c'est invraisemblable! s'exclama Jean-François. Même le robinet du cabinet de toilette ne goutte plus!

À l'instant même, je compris. Flutiaux, Lansquenet et Robi Petit-Pied savaient aussi bien réparer que détruire. Ils avaient travaillé toute la nuit. Le petit peuple est bien tel qu'on le décrit dans les contes de fées: avec lui, un bienfait n'est jamais perdu. Jean-François posa le plateau du petit déjeuner sur mes genoux.

— Et toi, ça ne t'étonne pas? Non? Rien ne t'étonne...

— C'est une question d'habitude, lui rappelai-je.

Le bonheur aussi. C'est une question d'habitude. Je menais désormais une vie heureuse. La seule ombre au tableau, c'était le principal. Constantin en était à sa quatrième retenue et il risquait un avertissement.

Tous les jeudis, les cinquièmes 4 de monsieur Logé-Dangerre venaient dans mon CDI et c'était le meilleur moment de ma semaine de travail. Comme la fin de l'année approchait, je leur faisais souvent cadeau d'un conte qu'ils écoutaient en cercle autour de moi, pour que la magie ne s'échappe pas.

– Connaissez-vous Mélusine ? leur demandai-je ce jour-là.

– C'est la cousine à Bécassine ! s'esclaffa le grand Cardon, que je n'avais pas totalement dompté.

– Cardon, vous n'êtes pas drôle, le réprimanda Jean-François. Il me semble que Mélusine était une fée, non ?

– La fille d'une fée, répondis-je, et d'une beauté plus qu'humaine. Elle aimait venir chez les hommes et c'est ainsi qu'elle rencontra Raymondin, comte de Lusignan. Ce fut le coup de foudre pour elle et pour lui. Mais elle ne lui avoua pas qu'elle était fée. À cette époque, les fées risquaient de finir comme les sorcières, sur le bûcher. Mélusine n'avoua surtout pas que tous les samedis le bas de son corps se transformait en queue de serpent couverte d'écailles scintillantes. Mais elle dit au comte : « Raymondin, j'accepte d'être ta femme à une condition. Que du samedi matin au dimanche soir, tu me laisses me retirer dans la tour du château. Et que jamais tu ne cherches à y entrer. Promets-le-moi.» Raymondin l'aimait et il promit. Ils furent heureux ensemble plusieurs années et ils eurent de beaux enfants. Tous les samedis, Mélusine allait dans la tour et Raymondin partait à la chasse. Pourtant, un jour, la curiosité se fit plus cuisante et Raymondin se dit: «Si j'allais — mais discrètement — pousser un tout petit peu la porte de la tour... Si j'allais — mais sans bruit — regarder ce que fait ma femme...»

— Ah, non, non, protesta le grand Cardon. Ça, je le sens mal. C'est une connerie. Sûr.

— Raymondin poussa la porte de la tour, continuai-je. Il monta un escalier en colimaçon et il se retrouva dans une merveilleuse salle de bains carrelée d'or. Dans une vasque emplie d'eau claire, une jolie baigneuse lavait ses cheveux blonds. Raymondin reconnut sa femme et s'approcha en souriant. Mais soudain, il s'arrêta, horrifié. Il venait de voir dans l'eau la queue de serpent argentée. «Dieu tout-puissant!» s'écria-t-il en se signant. Alors, Mélusine tourna la tête et poussa un cri déchirant. À l'instant même, elle se métamorphosa en un dragon ailé et disparut par la fenêtre.

— Je l'avais dit que c'était une connerie! triompha le grand Cardon.

Malgré moi, mes yeux cherchèrent ceux de Jean-François et je terminai mon conte sur ces mots:

— Les enfants de Mélusine devinrent rois de Chypre, de Jérusalem et d'Arménie. Mais Raymondin ne revit plus jamais la fée.

— Moche, ça, fit Cardon.

À la fin de la séance, je m'approchai de lui:

— Est-ce que tu aurais la photo de classe, tu sais, avec monsieur Logé-Dangerre et le principal?

Il l'avait et il promit de me la prêter. Voilà pourquoi, quelques jours plus tard, Sabrina m'accueillit, la mine catastrophée.

— Madeleine, t'imagines pas ce qui est arrivé au principal! Une malchance, mais alors, vraiment incroyable!

— Sur la même plaque d'égout?

— Ah bon, tu sais déjà? fit Sabrina, déçue.

— Oui. Et qu'il se méfie: jamais deux sans trois.

Je rendis la photo à Cardon, en le priant de m'excuser pour la petite entaille sur le côté.

— Et que fais-tu dimanche prochain? me demanda J.-F. Ce n'est pas le temps des pommes. C'est celui des cerises.

— Je dois t'avouer une chose, Jean-François.

Il pâlit en murmurant :

— Ah ?

— J'ai une mère et je dois la voir, dimanche prochain.

— Et si je t'accompagnais ?

Voilà qui me compliquait encore la vie. Quelle robe met-on quand on veut faire comprendre à sa mère que, à demi divorcée, on est de nouveau aimée ? Une robe blanche ? Hmm. Noire ? Quand même pas ! Jaune ? Brr, c'est la couleur des cocus.

— Rouge, trancha Timothée.

— Tu crois ?

— Couleur de l'amour passion.

— Moque-toi, moque-toi !

Quand je descendis les escaliers dans ma minirobe, Jean-François devint presque aussi rouge qu'elle. Mais quand maman me vit, je crus qu'elle allait avoir une défaillance.

— Il a l'air gentil, ton Logé-Machin, me dit ma sœur en aparté. Et puis, c'est toujours mieux que d'être seule.

Annabel, n'ayant pas Constantin sous la main, ricana pendant tout le repas, en regardant Jean-François. C'est ce jour-là que j'observai pour la première fois les yeux rêveurs et lunaires de Sybille, qui a le même âge que son cousin.

— Particulière, la petite famille, remarqua J.-F., comme nous rentrions à pied par les rues ensoleillées. On n'y passerait pas tous ses dimanches, sauf le respect que je te dois.

Je ris, puis je glissai une main dans celle de Jean-François.

— Tout le monde te regarde, se rengorgea-t-il.

Plus nous approchions de la rue Rosa-Bonheur, plus je sentais le moment venu.

— Jean-François…

— Oui ?

— Il faut que je te dise…

Mais comment dire l'invraisemblable ? Les mots prenaient la fuite devant moi. Toutes les explications du monde n'y suffiraient pas.

— Et si tu ne disais rien ? me suggéra Jean-François.

Nous étions au bas de chez moi. Il ouvrit les bras et je m'y réfugiai un instant. Mais déjà, dans ma tête, je rejoignais mon fils et Timothée au troisième étage. Jean-François sentit que je m'impatientais et relâcha son étreinte.

— Constantin doit s'ennuyer tout seul, fit-il pour m'excuser.

— Il n'est pas tout seul. Il y a…

Vas-y, maintenant, dis-le! Dis que chez toi il y a…

— Il y a… le chien.

— C'est vrai, m'approuva Jean-François. Il y a ce brave chien.

Je soupirai. Rien à faire. Je n'y arriverai pas.

— Madeleine?

— Oui?

Je savais ce qu'il voulait me dire. Mais j'ignorais encore ce que j'allais répondre.

— Madeleine, est-ce que dans un an, dans dix ans, dans cent ans, tu voudras m'épouser?

— Je vais étudier votre proposition, monsieur Logé-Dangerre, plaisantai-je, un peu plus émue que je n'aurais cru.

— Je suis patient, fit Jean-François. C'est une chose que les pommiers m'ont apprise.

Il était presque aussi pâle que mon elfe dans la forêt d'Hourtin.

— L'amour ne donne pas tous les droits, Madeleine. Ça, c'est la vie qui me l'a appris. Je ne pousserai pas la porte de ta tour, Mélusine…

Alors, sans me prévenir, mon cœur se mit à battre à la volée, comme font les cloches pour les mariés.

– Repose-moi ta question, Jean-François.

– Est-ce que tu veux m'épouser ?

– C'est oui, répondis-je. Mais je dois en parler à Constantin et à… et à…

– Et à Beetlejuice ? me proposa Jean-François.

Épilogue

— Tu te souviens de la pizzeria où je t'ai invitée la première fois ? me demanda Jean-François. Tu ne m'aimais guère à ce moment-là.

Il se mit à rire, et je reposai couteau et fourchette de part et d'autre de ma pizza pescatore.

— Et tu as tenu bon ? dis-je, attendrie.

— J'avais tort ?

— On a toujours raison d'aimer.

Nous étions à Murano, l'île des souffleurs de verre. Pas tout à fait un voyage de noces, puisque nous n'étions pas encore mariés. Murano, c'était l'idée de Jean-François. Pendant ce temps, Constantin était à DisneyWorld avec son père, et Timothée attendait dans sa boîte que je le libère, comme le génie des *Mille et Une Nuits*.

Après le déjeuner, nous marchâmes dans les ruelles et le long des canaux, entrant parfois dans les verreries et les boutiques de souvenirs. Rien ne me tentait vraiment, ni les faons bleutés ni les porte-plumes aux allures de sucre d'orge. Trop de niaiseries pour touristes.

— Madeleine! m'appela soudain Jean-François.

Il tendait le doigt vers une étagère. Je m'approchai et faillis crier.

— Oh, mon Dieu, murmurai-je seulement.

Je m'appuyai au bras de Jean-François.

— C'est le même, n'est-ce pas? fit-il.

Oui, c'était Timothée. Un ravissant petit elfe de verre dans une pose dansante.

— C'est là que tu l'avais acheté? me questionna Jean-François.

Je secouai la tête. Je ne suis jamais venue à Murano. Je n'ai jamais acheté d'elfe en verre. Jean-François l'attrapa.

— C'est vraiment son frère jumeau, remarqua-t-il. Même petit sourire… Hmm…

Il le retourna et regarda le prix sur le socle. Le vendeur s'était rapproché.

— *Bellissimo!* nous dit-il pour nous encourager.

— *E tropo caro*, marchanda Jean-François.

Quelques négociations plus tard, nous ressortions avec un petit paquet.

– On se promène encore ou tu es…

– Je suis fatiguée.

J'avais hâte de revenir à l'hôtel. Là-bas, dans ma valise, il y avait une boîte en bois blanc. Dans la boîte en bois blanc, il y avait…

– Vide! m'exclamai-je.

Au fond, je le savais depuis un moment. Depuis le moment où j'avais aperçu l'elfe de verre sur l'éta-gère. Jean-François me regardait, inquiet.

– Tu l'as laissé chez toi?

À nouveau, je secouai la tête. Non, je ne l'avais pas oublié. J'avais mis Timothée dans ma valise.

– Il s'est échappé, murmurai-je.

Où, quand, comment?

– Il s'est échappé, répéta Jean-François, de plus en plus inquiet, et regardant autour de lui.

Je me jetai dans ses bras et il me berça comme un enfant.

– Je t'aime, ne pleure pas. Je t'aime, tu verras.

Je revins rue Rosa-Bonheur, une semaine plus tard, ma valise bourrée de cadeaux. À mon arri-vée, je trouvai une lettre de Constantin qui délirait d'enthousiasme. C'était la lettre d'un jeune garçon qui découvre son père et les USA. Il ne me demandait même pas de nouvelles de Timothée, comme s'il l'avait oublié. J'avais aussi une lettre de ma sœur, Véronique.

Ma chère Madeleine,

Cela m'a fait plaisir que tu passes à la maison, juste avant de t'envoler pour Venise. Ton Jean-François est très sympathique, et c'est visible que vous vous aimez. Comme j'aimerais comme toi connaître un nouveau départ !

Nous ne parlons guère à cœur ouvert, comme deux sœurs pourraient le faire. C'est peut-être plus facile de s'écrire. Je suis malheureuse. Des fois, j'ai envie de le crier. Mais qui m'écouterait ? Toi, tu m'as toujours enviée, tu as toujours cru que j'étais favorisée du Destin (ou préférée de maman). Mon mari est sans cesse parti. Je suis comme une femme de marin et ça ne m'étonnerait pas qu'il y ait une autre femme qui l'attende à Singapour. Ma fille aînée ne s'intéresse à moi que lorsqu'elle a besoin de me piquer mes chaussures. Sybille me parle de moins en moins et c'est à peine si je la comprends quand elle ouvre la bouche. D'ailleurs, elle s'entiche de drôles de choses, les X Files, comme elle dit, et les extraterrestres ! Bref, je me sens seule et mon travail m'assomme. J'ai même repris les kilos que j'avais perdus...

Que de jérémiades, n'est-ce pas ? Mais on ne peut pas toujours faire taire ses angoisses avec des pilules !

Pardonne-moi de t'avoir ennuyée. J'espère que tu t'es bien amusée à Venise. Je t'embrasse.

Véronique

P.-S. : Au fait, il y a une odeur de muguet épouvantable à la maison, depuis quelques jours. Tu m'avais parlé d'un inconvénient semblable chez toi. Comment as-tu fait pour t'en débarrasser ?

Je reposai la lettre de ma sœur et restai longuement à rêver, les yeux grands ouverts. Mais oui, bien sûr ! J'étais venue chez Véronique avec ma valise. À un moment, je l'avais ouverte pour prendre dans ma trousse de maquillage mon tube de rouge à lèvres. Sybille était à côté de moi. Nous avions plaisanté sur mon regain de coquetterie. Puis je m'étais éloignée pour me refaire une beauté dans la salle de bains. Que s'était-il passé ? Qu'avait fait Sybille, l'amie des extraterrestres, Sybille finalement si semblable à son cousin Constantin ? Elle avait voulu vérifier ce qu'il y avait dans la boîte entraperçue... Je pris une des jolies cartes postales

que j'avais rapportées de Venise et, au dos, j'écrivis
à ma sœur ces simples mots :

Ta vie va changer.

Du même auteur à *l'école des loisirs*

Collection MÉDIUM

La série des *Nils Hazard* :
Dinky rouge sang
L'assassin est au collège
La dame qui tue
Tête à rap
Scénario catastrophe
Qui veut la peau de Maori Cannell ?
Rendez-vous avec Monsieur X

Amour, vampire et loup-garou
Tom Lorient
Oh, boy !
L'expérienceur (avec Lorris Murail)
Maïté coiffure
Simple
Miss Charity (illustré par Philippe Dumas)
Papa et maman sont dans un bateau

Collection MÉDIUM +

Sauveur & Fils, saisons 1, 2, 3 et 4

La fille du docteur Baudoin
Le tueur à la cravate
De grandes espérances, de Charles Dickens
(adapté par Marie-Aude Murail et illustré par Philippe Dumas)
Trois mille façons de dire je t'aime

Collection BELLES VIES
Charles Dickens

Cet ouvrage a été achevé d'imprimer
sur Roto-Page
par l'Imprimerie Floch à Mayenne
en août 2018

N° d'impression : 92970
Imprimé en France